Monique Callamand

*Maître de conférences
à l'Université de Paris III
U.F.R. Didactique
du français langue étrangère*

exercices d'apprentissage 3

Learning Resources
Centre

Larousse | Français langue étrangère
Diffusion CLE INTERNATIONAL
27, rue de la Glacière 75013 PARIS

Avant-propos

Les exercices d'apprentissage 3 prolongent la méthodologie et complètent le contenu des *exercices d'apprentissage 1 et 2.* Ils s'adressent à des étudiants adolescents ou adultes de niveau intermédiaire ou avancé et peuvent être utilisés :
— parallèlement à une méthode d'enseignement de la langue, sous le contrôle du professeur, ou de manière autonome ; les corrigés des exercices sont inclus ;
— hors méthode, par des étudiants qui souhaitent réviser la grammaire du français et combler d'éventuelles lacunes tout en pratiquant la langue.

Chaque dossier traite soit d'un point grammatical approfondi par rapport aux *exercices d'apprentissage 1 et 2,* soit d'un point grammatical nouveau. Le même souci d'aborder les difficultés pas à pas en faisant appel à la réflexion de l'apprenant demeure :
— approche par micro-systèmes avec mises au point grammaticales intégrées,
— apprentissage systématique des conjugaisons à partir d'un classement sur les régularités/irrégularités morphologiques (formes du radical du verbe conjugué par rapport à l'infinitif),
— conception des exercices qui, par leur forme et leur variété, fournissent des éclairages divers pour faciliter l'intégration simultanée du point grammatical et de ses emplois.

Toutefois l'approche morpho-syntaxique (emplois des formes grammaticales dans la présentation et l'organisation des informations) et l'approche morpho-sémantique (valeurs sémantiques des emplois des formes grammaticales) prédominent.
Ceci explique le recours plus fréquent que dans les *exercices d'apprentissage 1 et 2* à l'information grammaticale et linguistique.

La grammaire continue à être présentée comme une composante de l'expression : le choix des thèmes, l'éventail des situations de communication, la mise en relation de formes grammaticales et d'actes de parole doivent contribuer à faire saisir la valeur des aspects grammaticaux et leur rôle dans la communication.

Ainsi, le support linguistique est-il constitué d'échantillons très variés illustrant aussi bien l'usage quotidien que l'usage plus recherché ou littéraire de la langue française.

LES AUTEURS

Le signe ✏ indique que ces exercices doivent être faits hors cahier.

Édition : Gilles Breton
Conception graphique et couverture : Jehanne-Marie Husson
Mise en page : Catherine Boutron
Illustrations : Gabs

* Référence : GRAMMAIRE VIVANTE DU FRANÇAIS (français langue étrangère), Monique Callamand. Larousse/CLE INTERNATIONAL, nouvelle édition, 1989.

© CLE INTERNATIONAL, 1992
ISBN 2-19-039303-5

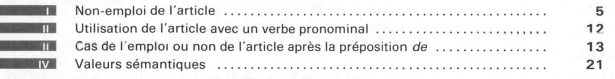

Sommaire

COMPORTEMENT ET VALEURS DE L'ARTICLE

I   Non-emploi de l'article **5**
II   Utilisation de l'article avec un verbe pronominal **12**
III   Cas de l'emploi ou non de l'article après la préposition *de* **13**
IV   Valeurs sémantiques **21**

LA REPRISE DANS LA CONSTRUCTION DU TEXTE

I   Avec l'adjectif démonstratif + nom **26**
II   Avec le pronom démonstratif **29**
III   Avec *tel(s), telle(s)* + nom **34**
IV   Avec *ce qui, ce que* **36**
V   Avec les pronoms *le, en, y* **37**

LES PRONOMS RELATIFS

I   Formes et jeux de construction **40**
II   Emploi des pronoms relatifs composés **42**
III   Emploi des pronoms relatifs composés avec des personnes **47**
IV   Emploi des pronoms relatifs composés avec les pronoms *celui, ceux, celle, celles* **48**
V   Emploi des pronoms relatifs après le pronom *ce: ce dont, ce à quoi, ce sur/contre, avec... quoi* **49**
VI   Manipulation avec *c'est* **51**

LE PASSIF

I   Formation et temps du passif **53**
II   Les emplois du passif **55**
III   Les verbes pronominaux de sens passif **58**

LE PASSÉ SIMPLE

I   Conjugaison du passé simple **61**
II   Emplois du passé simple **64**
III   Emplois concurrents du passé simple et du passé composé **66**

LE PARTICIPE PRÉSENT — LE GÉRONDIF

I   Le participe présent **68**
II   Le gérondif **75**

LES VALEURS DU CONDITIONNEL

I   La fiction **81**
II   La condition, l'hypothèse, l'éventualité **82**
III   Information donnée avec précaution **85**
IV   Proposition, conseil, reproche, obligation, prévision **86**
V   Concordance des temps dans la construction verbe + *que* **89**

LE SUBJONCTIF

I   Conjugaison du subjonctif présent **90**
II   Le subjonctif passé **99**
III   Le subjonctif imparfait et plus-que-parfait dans la concordance des temps .. **101**

CONSTRUCTION *QUE* + VERBE OU CONSTRUCTION INFINITIVE

| I | *Que* + verbe au subjonctif ou construction infinivite .... | **106** |
| II | *Que* + verbe à l'indicatif ou construction infinitive .... | **111** |

VALEURS DU PRÉSENT

I	Le présent à la place du passé composé, du passé simple ou de l'imparfait ..	**116**
II	L'expression du passé récent: *venir de* +infinitif	**121**
III	L'expression du déroulement: *être en train de* + infinitif	**122**
IV	Le présent à la place du futur	**124**

VALEURS DE L'IMPARFAIT

| I | L'imparfait à la place du passé composé ou du passé simple .... | **126** |
| II | Emploi obligatoire de l'imparfait .... | **127** |

EMPLOIS ET VALEURS PARTICULIÈRES DES TEMPS DU PASSÉ

| I | Les temps du passé avec *toujours* ou *jamais* .... | **129** |
| II | Utilisation du passé composé dans la construction *c'est...* + pronom relatif . | **132** |

EXPRESSION DE LA DURÉE

I	Rappel des notions fondamentales	**133**
II	Expression de la durée et emploi des temps avec un verbe à sens perfectif ..	**136**
III	Expression de la durée avec un verbe indiquant une action progressive	**139**

L'ANTÉRIORITÉ

I	Le passé composé	**141**
II	Le plus-que-parfait	**142**
III	Le passé surcomposé	**143**
IV	Le passé antérieur	**144**
V	Le futur antérieur	**146**
VI	Le conditionnel passé	**147**
VII	Le subjonctif passé	**148**

L'INTERROGATION INDIRECTE — LE DISCOURS INDIRECT

| I | L'interrogation indirecte .... | **150** |
| II | Le discours indirect: verbe + *que* .... | **155** |

CORRIGÉS

| CORRIGÉS .... | **163** |

Comportement et valeurs de l'article

I. Non-emploi de l'article

A. *Des → de (d')* devant adjectif + nom

☐1 *Lisez, observez...*

> - Je voudrais **des** roses, **de belles** roses rouges.
> - Votre départ pose **des** problèmes, **de sérieux** problèmes.
> - Il vend **des** tableaux modernes, **de** magnifiques tableaux !
> - Donnez-moi encore **des** idées, **d'**autres idées.
> - Je vous apporte **des** nouvelles, **d'**excellentes nouvelles de votre fils.

... puis complétez les textes suivants avec les éléments proposés en mettant toujours l'adjectif avant le nom :

a. Carte postale

Chère Mamie

Nous passons . . . . à   des vacances/agréables

Aumont-Aubrac. Nous faisons . . . .   des promenades/longues

. . . . dans la montagne. Papa et maman sont enchantés !

Sais-tu qu'il y a . . . . par-   des vaches/énormes

tout ? Nous te faisons . . . .   des bises/grosses

et t'enverrons bientôt . . . .   des nouvelles/autres

                                                            Corice

b. Votre fils est un cancre *

Votre fils n'a pas eu . . . . au premier   des notes/bonnes

semestre. Il a . . . . en maths, et   des difficultés/énormes

il est faible en français. Même en sciences et en histoire,

il a . . . . ! Je crois qu'il   des résultats/mauvais

ne travaille pas assez. Il doit faire . . . .   des efforts/gros

. . . . tout de suite s'il veut rester dans notre établissement.

_____
* *cancre*: élève qui ne travaille pas bien.

GRAMMAIRE

1. **DES** → **DE (D')** DEVANT **UN ADJECTIF** + **UN NOM**, DANS LES CAS SUIVANTS :

EXEMPLES : J'ai acheté **des** pommes.
J'ai acheté **de belles** pommes.

C'EST-À-DIRE LORSQUE **DES** EST ARTICLE PARTITIF OU INDÉFINI.

2. LORSQUE **DES** APPARTIENT À UNE CONSTRUCTION AVEC **DE** IL N'Y A PAS DE TRANSFORMATION :

EXEMPLES : À la sortie **des** villes.
À la sortie **des grandes** villes.

Être satisfait **des** propositions de la direction.
Être satisfait **des nouvelles** propositions de la direction.

B. *Être* + nom de métier, nationalité, adjectif

2 *Observez...*

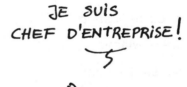

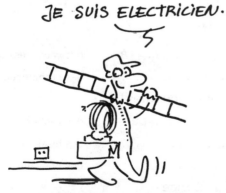

... puis fabriquez des mini-dialogues avec les noms de métier proposés :

a. Quand je serai grand(e)

● pilote/pâtissier — vétérinaire/musicien — astronaute/pompier — policier/président de la République

● mannequin/journaliste reporter — infirmière/danseuse — institutrice/dessinatrice de mode — juge pour enfant/hôtesse de l'air

Quand je serai grand(e), je voudrais être ....

— Ah, non, moi, j'aimerais devenir ....

b. Que faites-vous ?

peintre/sculpteur — secrétaire/bibliothécaire — diplomate/avocat

Vous êtes ...., je crois?

— Non, je ne suis pas ...., je suis ....

c. On parle d'un couple

étudiant(e)(s) — architecte(s) — professeur(s) de maths — chauffeur(s) de taxi — employé(e)(s) de banque

Elle, elle est ....

— Et lui, qu'est-ce qu'il fait?

Il est .... aussi, ils sont .... tous les deux.

GRAMMAIRE

1. POUR INDIQUER LE MÉTIER, LA PROFESSION DE QUELQU'UN, ON N'EMPLOIE PAS LES ARTICLES UN, UNE, DES DEVANT LE NOM :

EXEMPLES : Je suis ⎫
Il est ⎬ médecin.
Elle est ⎭

Nous sommes ⎫
Ils sont ⎬ écrivains.
Elles sont ⎭

2. SI ON VEUT DÉSIGNER UNE PERSONNE PAR SON MÉTIER, SA PROFESSION OU SON ACTIVITÉ, ON EMPLOIE: C'EST UN, C'EST UNE, CE SONT DES :

EXEMPLES : Qui t'a dit ça ?
— **C'est un** avocat.

Qui habite au 3e étage ?
— **Ce sont des** retraités.

GRAMMAIRE

CETTE CONSTRUCTION PERMET D'APPORTER UNE PRÉCISION :

EXEMPLES : Et ton prof de maths?
— Ça va, c'est un **bon** prof.

Parlez-moi de Voltaire.
— C'est un auteur **du xviiie siècle**...
Mais qui sont tous ces gens?
— Ce sont des étudiants **qui attendent leur prof**.

---

3 *Complétez les mini-dialogues suivants avec* c'est :

a. Ma fille est malade, tu connais un médecin?
— Va chez le docteur Ladoux, ... qui   médecin
adore les enfants.

b. Vous connaissez Laure Pamel?
— Oui, ... de maîtrise.   étudiante

c. Vous aimez Saint-John Perse?
— Pas vraiment, ... que j'ai du mal à   poète
comprendre!

d. Qui a monté ce spectacle?
— .... italien dont j'ai oublié le nom.   metteur en
scène

e. Qui est Pei?
— .... très connu! Il a fait la Pyramide   architecte
du Louvre notamment.

---

4 *Complétez les phrases suivantes; attention à la présence ou non de* un, une :

a. Il ....   plombier

b. .... ancien professeur de grec qui est devenu
....   diplomate

c. Maintenant, elle .... mais ....   députée/
universitaire
.... que j'ai connue à la Sorbonne.

d. Que fait votre fils?
....   pianiste

e. .... que j'adore !   décorateur

f. Vous connaissez Garouste ?

— Oui, ... qui a beaucoup de talent.   peintre

g. Après avoir été ...., il est devenu ....   chanteur/
                                                                          animateur
.... et .... animateur   de télé
remarquable !

h. .... très connu aujourd'hui mais   acteur/
                                                                          chauffeur de
avant il était .... !   taxi

GRAMMAIRE

ON RETROUVE LE MÊME EMPLOI

Il est..., elle est...   ou   C'est un/une...
Ils sont..., elles sont...   Ce sont des...

● **quand on veut indiquer la nationalité**
EXEMPLE : **Il est** portugais
          C'est un Portugais qui vit depuis dix ans à Grenoble.

● **quand on qualifie quelqu'un**
EXEMPLE : **Il est** malin !
          C'est un (petit) malin !
Dans ce cas, l'adjectif devient un nom qui peut être précédé d'un adjectif (voir exercice 5). Noter la majuscule dans «C'est un **P**ortugais».

5 *Qualifiez les différentes personnes en choisissant parmi les éléments proposés :*

(grosse) curieuse — fort en maths — passionnée d'équitation — ne pas être idiot — méchant — (belle) brune — (sacré) menteur — (bel) hypocrite

a. Ce garçon, ...

b. Ma fille adore les chevaux, ...

c. Ne faites pas attention à ce qu'il dit, ...!

d. Explique-lui exactement ce qui se passe, ...!

e. Christophe a une nouvelle petite amie : .... aux yeux verts !

f. Ma mère me pose toujours des questions, ...!

g. Méfie-toi de lui, il ne dit jamais ce qu'il pense, ...

h. Ne crois pas toujours ce qu'il te raconte, ...

6 *Vérification. Complétez le texte suivant en utilisant* il/elle est, ils/elles sont, c'est, ce sont:

J'habite dans un immeuble très cosmopolite.

La gardienne .... portugaise. Au premier étage, ... Américains; le mari .... informaticien et sa femme .... prof d'anglais au Collège international.

Au deuxième étage, c'est moi. Je .... française et je partage l'appartement avec un jeune couple; .... étudiants tous les deux: lui, ... algérien et elle, ... belge.

Les voisins du troisième .... brésiliens. On ne les voit pas très souvent: .... retraités et passent leur temps à voyager!

Au quatrième, c'est un monsieur très distingué qui vit seul. Je crois qu'il .... agent commercial ou quelque chose comme ça! .... français.

Au cinquième étage, ... Pakistanais; .... fabricants de vêtements. Leur magasin se trouve au rez-de-chaussée de l'immeuble, ... très sympathiques!

Et au dernier étage, dans les chambres de bonne*, ... étudiants; .... tous étrangers: l'un .... ivoirien, l'autre .... canadien, le troisième .... espagnol et j'en oublie!

---

* *Chambre de bonne*: petite chambre située au dernier étage des immeubles servant autrefois à loger la bonne; aujourd'hui, souvent louée à un étudiant ou un jeune travailleur.

7 *À vous. Faites des petits textes pour décrire des personnes*

C. *Être* + adjectif, participe passé ou participe présent employés comme adjectifs

8 *Lisez, observez...*

En ce moment, je suis **écrasée de travail**. Tous les soirs, quand j'arrive à la maison, je suis **morte de fatigue**. Heureusement, il y a la mer les week-ends: toute la famille est **fanatique de voile**, alors nous prenons notre bateau et là, c'est le grand air, l'effort physique, je ne pense plus à rien. Pendant deux jours, je suis **folle de joie** et je reviens au bureau à nouveau **remplie d'énergie** et **débordante d'enthousiasme**.

... puis relevez les formes :

les adjectifs + *nom*	*les participes passés* + *nom*	*les participes présents* + *nom*
. . . .	. . . .	. . . .
. . . .	. . . .	. . . .
. . . .	. . . .	. . . .

9 *Composez des phrases avec les éléments proposés :*

mort(e)/chagrin — soucieux(se)/égalité — débordant(e)/activité — mort(e)/soif — accablé(e)/soucis — débordé(e)/travail — paralysé(e)/peur — fou (folle)/cinéma — couvert(e)/dettes — rayonnant(e)/joie.

. . . .
. . . .
. . . .
. . . .
. . . .

D. Après *sans* et *avec*

10 *Lisez ces deux exemples...*

> a. Il a dit ça **sans humour**, je t'assure !
> b. Il fait tout **avec soin**.

... puis construisez des phrases en utilisant **avec** *ou* **sans**

plaisir — satisfaction — passion — ardeur — précaution — énergie — histoires — difficultés — raison — calme — agressivité.

GRAMMAIRE

SANS HUMOUR, AVEC SOIN INDIQUENT LA MANIÈRE DE DIRE, LA MANIÈRE DE FAIRE. ON N'UTILISE PAS L'ARTICLE DEVANT LE NOM.
MAIS ON UTILISE L'ARTICLE SI LE NOM EST DÉTERMINÉ :
— **par un adjectif**
EXEMPLE : Je le ferai avec un plaisir extrême.
— **par une construction relative**
EXEMPLE : Il continue à travailler mais sans l'enthousiasme qu'il avait avant !

II. Utilisation de l'article avec un verbe pronominal

11 *Lisez l'exemple, observez l'emploi de l'article défini...*

> Tes mains, Sonia, regarde comme elles sont sales ! Allez, va vite te laver **les** mains !

... puis complétez avec le pronom du verbe pronominal et l'article :

a. Avant de te coucher, n'oublie pas de .... brosser .... dents.

b. Tu as vu comment il .... est fait couper .... cheveux ?

c. Ils sont fâchés. Ils ne .... serrent même plus .... main.

d. Pour bien .... protéger .... visage, choisissez une bonne crème solaire.

e. Je suis tombé(e) dans l'escalier et je .... suis cassé(e) .... bras.

f. Oriane, cesse de .... frotter .... nez. Ça m'agace !

12 *Savez-vous qu'il existe beaucoup d'expressions imagées ? Lisez les exemples et notez leurs significations :*

On lui a promis un salaire de 10 000 francs par mois.
— S'il croit ça, il **se met le** doigt dans l'œil !
(= il se trompe)

Je ne sais pas comment faire...
— C'est simple ! Ne **te casse** pas **la** tête !
(= ne cherche pas des choses compliquées)

Nous allons devoir **nous serrer la** ceinture pendant quelque temps !
(= faire des économies)

13 *À vous. Inventez des expressions et donnez-leur une signification.*

III. Cas d'emploi ou non de l'article après la préposition *de*

A. Nom 1 + *de* (sans article) + nom 2

1 Nom 2 est un produit ou une matière

■ Nom 2 est un produit

14 *Observez...*

> Pour ce soir, j'ai préparé
> — une soupe **de légumes**,
> — un rôti **de veau** avec de la purée **de haricots verts**
> — et de la compote **de pommes** pour le dessert.

... puis associez les éléments de la colonne 1 et de la colonne 2 :

1	2	*Vos propositions :*	
pâté	bœuf	un	. . . .
plat	fruits		
confiture	poissons	une	. . . .
sauté	canard		
salade	mouton	. . . .	. . . .
corbeille	abricots		
brochettes	tomates	. . . .	. . . .
gâteau	riz		

■ Nom 2 est une matière

15 *Observez...*

> Ma grand-mère habite à la montagne. Pour arriver chez elle, on traverse une forêt **de sapins**; soudain, on voit apparaître la belle maison avec son toit **d'ardoise** et ses corbeilles **de fleurs** aux balcons. À l'intérieur, dans la pièce principale, j'aime la grande table **de bois** clair et les deux canapés **de cuir** si confortables! Souvent, toute la famille se réunit ici. Partout, il y a des rideaux **de coton** fleuri aux fenêtres et sur chaque lit, un édredon **de duvet** qui invite à dormir paisiblement...

... retrouvez les associations nom 1 + de + nom 2

Une forêt de sapins, son toit... ....

....

....

....

... et maintenant remplacez nom 2 par, dans l'ordre :

cèdres — tôles grises — géraniums — marbre blanc — tissu fleuri — velours sombre — plumes légères.

Une forêt de cèdres, son toit... ....

....

....

....

16 Associez nom 1 et nom 2

a. Signalement

Au moment de la disparition, elle portait

— un .... ,   pantalon/velours

— une .... ,   chemise/coton jaune

— un .... ,   collier/perles

— un .... ,   chapeau/paille

— un .... ,   sac/cuir noir

— des ....   chaussures/toile claire

b. Hôtel de vacances

C'est un ....   hôtel moderne/verre

et .... avec sa ....   acier/plage/sable fin

strictement réservée à la clientèle. L'intérieur est très luxueux

avec des .... et des ....;   sols/colonnes/marbre

il y a aussi des boutiques où on peut acheter des souvenirs

et notamment des .... et   sculptures/bois

des .... Juste   bijoux/pierres fines

à côté de l'hôtel, il y a une immense ....   plantation/palmiers/

.... et .... où on peut   eucalyptus

faire du vélo ou des promenades à cheval.

DANS LES TEXTES QUI PRÉCÈDENT, ON PEUT CLASSER **NOM 1 + DE + NOM 2**
EN DEUX CATÉGORIES :

1. Nom 2 indique des éléments séparés des objets (matière discontinue) :

EXEMPLES : forêt **de** sapins
corbeilles **de** fleurs
colliers **de** perles
plantation **de** palmiers

⎫
⎬ • on utilise toujours **de**
⎭

2. Nom 2 indique une matière compacte, continue :

• On utilise **de** dans un style soigné :

EXEMPLES : un toit **d'**ardoise, un canapé **de** cuir, des chaussures **de** toile, une
colonne **de** marbre.

• On utilise **en** dans un style plus courant :

EXEMPLES : un toit **en** ardoise, un canapé **en** cuir, des chaussures **en** toile, une
colonne **en** marbre, une cuillère **en** bois, un verre **en** plastique.

Pour les objets fabriqués avec du métal, on utilise toujours **en** :
EXEMPLES : une dent **en** or, un collier **en** argent, une sculpture **en** aluminium...

GRAMMAIRE

---

17 *Exercez-vous en proposant* de *(seule possibilité) ou* en/de *(double possibilité)*

a. Je lui ai offert une . . . .   cravate/soie

b. Un vitrail, c'est un . . . . de différentes   assemblage/verres

formes et couleurs.

c. Il a une très belle . . . .   collection/timbres

d. Dans ce magasin, on ne vent que des . . . .   vêtements/coton

e. C'est une très jolie lampe avec le . . . .   pied/bois sculpté

et l'. . . . .   abat-jour/tissu

f. Autour de la maison, il y a une . . . .   haie/arbustes

qui fleurissent au printemps.

g. Pour cuisiner, j'utilise toujours des . . . .   cuillères/bois

h. (Chez le dentiste) Pour remplacer votre dent, on peut mettre   dent/porcelaine

soit une . . . ., soit une . . . .   dent/or

2 Nom 2 détermine, précise, qualifie Nom 1

18   *Observez...*

> Soit le mot **pièce**. Il y a plusieurs types de **pièces**. Il faut donc préciser :
>   une pièce **de monnaie**
>   une pièce **de théâtre**
>   une pièce **de tissu**

... puis faites votre choix comme dans l'exemple (a) :

a. Il vend des meubles ⟨ jardin / cuisine / bureau   Il vend des meubles **de** jardin.

b. Je n'aime pas le fromage ⟨ brebis / chèvre / vache   . . . .

c. Il voudrait être professeur ⟨ économie / histoire / philosophie   . . . .

d. Sauriez-vous écrire une lettre ⟨ remerciement / démission / amour   . . . .

e. Quelle sorte ⟨ spectacle / musique / distraction   aimez-vous ?   . . . .

f. Il faut que j'achète des chaussures ⟨ ville / sport / tennis   . . . .

19   *Déterminez le* nom 1 *en proposant trois* noms 2 *différents comme dans l'exemple (a) :*

a. Nous avons parlé des problèmes   de circulation
                                       de santé
                                       d'éducation

                                       . . . .
b. Tout le monde se plaint des conditions   . . . .

                                       . . . .

                                       . . . .
c. À quelle heure a lieu le cours   . . . .

                                       . . . .

                                       . . . .
d. C'est une question   . . . .

                                       . . . .

B. Nom 1 + *du, de la, de l', des* + nom 2

1 *Nom 2* indique l'unique, le général, le tout/l'ensemble

20 *Observez les exemples...*

L'UNIQUE	LE TOUT, L'ENSEMBLE = DE TOUS LES...
Le sommet **de la** tour Eiffel	Le Palais **des** Sports
La capitale **de l'**Inde	Le Conseil **des** ministres
Les bals **du** 14 Juillet	Le recueil **des** poèmes de Rimbaud
L'action des Nations Unies	L'horaire **des** trains pour Rome

LE GÉNÉRAL
L'intérêt **de l'**État   La perte **du** sommeil
Le ministère **de la** Santé   Le Palais **de la** Découverte

... complétez...

a. *Quand je suis allé(e) à Paris, j'ai visité :*

.... musée/Homme

.... Opéra/Bastille

.... quartier/Halles

et j'ai passé des heures .... bibliothèque/Centre Georges Pompidou

b. *1789, c'est :*

La Déclaration ...... droits de ...... Homme, l'abolition ...... Privilèges,
la chute ...... Royauté, la victoire ...... peuple.

c. *Pour faire ce métier, il faut avoir*

— le goût .... et .... risque/effort

— le sens .... et .... affaires/responsabilités

d. *Ce qui compte le plus :*

— Qu'on respecte la liberté ⟶ Le respect ....

— Qu'on protège l'environnement ⟶ La protection ....

— Qu'on partage les richesses ⟶ Le partage ....

— Que la misère recule ⟶ Le recul ....

— Qu'on diminue les inégalités ⟶ La diminution ....

... puis réécrivez toutes les propositions du d. en les classant de 1 à 5 suivant votre ordre de priorité.

2 *Nom 1 «appartient» à nom 2*

21 **Lisez, observez...**

> a. ┌Faites signer votre demande de congé à la directrice. **Son accord** est obligatoire.
> └─> Pour votre demande de congé, l'accord **de la** directrice est obligatoire.
>
> b. ┌Le lycée sera fermé les 8 et 9 mai mais la bibliothèque restera ouverte.
> └─> La bibliothèque **du** lycée restera ouverte. (**sa** bibliothèque)

... puis transformez les phrases proposées en utilisant la construction nom 1 + de + article + nom 2 *comme dans les deux exemples qui précèdent :*

a. Il y a de beaux **tableaux** chez lui. Malheureusement, leur **éclairage** n'est pas bon! L'éclairage ....

b. Chez nous, les **clients** trouvent tout le **confort**. C'est notre priorité!
....

c. Le **château** est du xviie siècle mais la **tour** est du xviiie.
....

d. Les **enseignants** sont mécontents: leur **salaire** est bloqué depuis trois ans!
....

e. Je prends la **voiture**. Où as-tu mis les **papiers**?
....

f. J'adore la **campagne** et son **odeur** après la pluie.
....

g. Le **discours** que le **Président** a fait hier portait exclusivement sur la politique internationale.
....

h. Le **directeur** est furieux: sa **secrétaire** se marie et nous quitte!
....

C. Cas d'alternance

1 Avec *nom 1 + de + nom 2*

22 *Observez...*

> **Le** président **de** l'Université a annoncé la suppression de dix postes.
> Ceci est étonnant de la part d'**un** président **d'**université.
>
> ► Ces exemples permettent de noter l'alternance **cas concret cas abstrait :**
> — l'article défini (**le** président) ⟶ l'article indéfini (**un** président)
> — l'article défini (de **l'**université) ⟶ l'article zéro (d'université)

... puis utilisez la même alternance avec les éléments proposés :

a. Bientôt, vous allez voir .... sur la mer.   coucher de soleil

C'est un peintre qui ne peint que ....

b. .... ont reçu les félicitations du maire   organisateurs de spectacle

de Paris. On ne trouve pas du jour au lendemain ....

.... qualifiés !

c. .... a été entièrement refaite.   scène de théâtre

Nous aimerions construire .... plus

grande.

d. .... est tragique.   fin de roman

Comment peut-on imaginer .... aussi

tragique !

e. Tu as cassé ....?   porte d'armoire

........................, ça ne se casse pas comme ça, tout de

même !

f. Nous avons prévu .... pour la fin du mois.   signature de contrat

.... ne se fait pas à la légère !

g. .... s'est terminée dans le calme.   manifestation d'étudiants

Il y a eu .... un peu partout dans le pays.

2 Avec une *locution prépositionnelle + de + nom*

23 *Observez...*

Au début **de l'**année	mais	**En** début d'année
À la fin **de la** séance	mais	**En** fin de séance
Au cours **des** études	mais	**En** cours d'études
Au bout **du** chemin	mais	**En** bout de table
Au bord **de l'** autoroute	mais	**En** bordure d'autoroute

... puis répondez aux questions en utilisant les éléments proposés :

a. Pourquoi êtes-vous en retard ? — À cause . . . .   embouteillages

b. Où se trouve l'UNESCO à Paris ? — À côté . . . .   Tour Eiffel

c. Où en es-tu de ta thèse ? — Elle est en cours . . . .   rédaction

d. Y a-t-il un camping par ici ? — Oui, au bord . . . .   lac

e. Quand devrons-nous appliquer les nouveaux programmes ?
   — À partir . . . .   rentrée scolaire

f. Où met-on les notes bibliographiques ? — En bas . . . .   page

g. Quand t'a-t-elle dit ça ? — Au cours . . . .   discussion

h. Quand faites-vous l'assemblée générale ? — Toujours en début
   . . . .   année

▶ Quand la locution prépositionnelle commence par **en**, on utilise **de** sans l'article pour exprimer quelque chose d'abstrait : en cas **d'**accident, en signe **de** protestation, en période **d'**examen, en forme **de** cœur, en terme **d'**efficacité. Mais on dit : *en dépit **des** efforts, en vertu **de la** loi, en raison **des** grèves, en souvenir **du** voyage...* car on évoque des faits concrets.

24 *Récapitulation 1° Trouvez la bonne solution en barrant la forme qui ne convient pas.*

LUNE DE MIEL DANS L'ÎLE DE BEAUTÉ

Venez découvrir des couchers de du soleil merveilleux car le coucher de du soleil en Méditerranée est inégalable ! NOTRE CLUB vous propose plusieurs villages de des vacances situés au bord d'une mer de du saphir avec des plages de du sable fin. VOUS APPRÉCIEREZ AUSSI l'accueil chaleureux de des villageois, bref toute la douceur d' de l' île ! ENFIN, nous pensons à votre portefeuille puisque les prix de du Club sont modestes : 1 150 francs en pension complète pour une semaine ! DE MAI À JUIN, les quatre villages de du Club vous offrent des séjours de du rêve à des prix vraiment peu élevés.

2° Complétez les phrases suivantes avec de, d' *ou* du, de la, de l', des

a. Y a-t-il, à Paris, des jardins ...... attraction?

— Il y a beaucoup de jardins à Paris, mais ce ne sont pas exactement des jardins ......
attraction. Ce sont plutôt des jardins ...... agrément comme, par exemple, le jardin
...... Luxembourg, le jardin ...... Tuileries, le jardin ...... Champ-de-Mars.

b. Au début ...... semaine, je commence un stage ...... tennis. Valérie m'a dit que le
stage ...... mois dernier était bien organisé.

c. Vingt-quatre chefs ...... État ont participé à la conférence sur la protection ......
environnement; le chef ...... État français était présent.

d. Ma tante est secrétaire ...... direction à la Banque de France mais elle n'aime pas
l'ambiance ...... service et veut changer. Elle espère avoir bientôt un poste au
département ...... Communication aux Nations Unies à Genève. Il y en a toujours qui
se libèrent en fin ...... année.

IV. Valeurs sémantiques

A. Banal ou spécial?

25 *Lisez les deux textes, observez l'emploi des articles dans chacune des situations...*

Au bistrot de la gare, deux copains déjeunent rapidement. Ils regardent la carte:

Qu'est-ce que tu prends?
— **Des** œufs mayonnaise et **une** entrecôte grillée avec **des** haricots verts.
— Bon, moi, je prendrai **une** salade niçoise et **des** paupiettes[1] de veau. Ensuite, on verra. Et on prend **un** pichet[2] de rosé, ça te va?

1. *paupiettes:* viande roulée — 2. *pichet:* carafe.

Dans un restaurant très chic, dialogue entre le maître d'hôtel et un client qui hésite:

Que me conseillez-vous?
— Prenez **le** turbot[*] en habit vert qui est excellent et pour commencer **la** terrine de canard peut-être...
— Bien. Et comme vin rouge léger, qu'est-ce que vous avez?
— Je vous recommande **le** Buzy 82, un peu frais; il ira très bien.

[*] *turbot:* une variété de poisson

... puis refaites deux dialogues avec les éléments proposés.

a. Dans un restaurant très simple :
 — pizza / omelette aux champignons
 — œufs mayonnaise / steak-frites
 — demi-bouteille de vin du patron
 — pour le dessert, crème caramel

b. Dans un restaurant très réputé
 — langouste thermidor
 — civet de chevreuil
 — Mouton-Rotschild 85
 — pour le dessert : crème brûlée

B. Individuel ou global ?

26 *Lisez, observez et comparez la valeur de* un *dans les deux phrases...*

J'ai rencontré **un** médecin qui a passé vingt ans à soigner les Indiens en Amazonie.

Un médecin est tenu d'être de garde certains week-ends.

▶ Dans la première phrase **un** indique une personne individuelle, un cas parmi d'autres.

Dans la deuxième phrase **un** prend une valeur globale ; il signifie :
Tout médecin
N'importe quel médecin } est tenu d'être de garde

... maintenant mettez une croix en face des phrases où un(e) *a la valeur de* tout(e) *ou* n'importe quel(le) :

a. Un exposé doit être bien structuré ☐

b. Un café, s'il vous plaît ! ☐

c. Un spécialiste vous dira mieux que moi ce qu'il faut faire. ☐

d. Une personne sérieuse aurait gagné beaucoup d'argent. Lui, il s'est ruiné. ☐

e. Tu ne sais pas répondre ? Un élève de Troisième doit savoir ça ! ☐

f. Une personne suffit pour faire ce travail. ☐

g. Une citadine a du mal à vivre à la campagne du jour au lendemain. ☐

h. Un banquier m'a conseillé d'acheter des actions. ☐

i. Une lettre vous attend sur votre bureau. ☐

j. Un bon avocat ne vous aurait pas dit cela !. ☐

C. Concret ou abstrait?

27 *Lisez les exemples, observez les différences...*

Parler **de la** politique	= parler de la politique du pays, de la politique actuelle,
Parler **de** politique	= parler de la politique en général
Parler politique	= parler de ce sujet et non pas d'un autre sujet comme l'économie ou les affaires, etc.

► La suppression de l'article, puis de la préposition qui accompagne le verbe donne au mot **politique** un sens de plus en plus abstrait.

... puis donnez vous-même les trois formes en utilisant les verbes **parler** *ou* **discuter** *avec les éléments proposés:*

affaires — boulot (travail) — voyage — argent — écologie — avenir — mode.

. . . .
. . . .
. . . .
. . . .
. . . .
. . . .
. . . .

GRAMMAIRE

LE NOM S'EMPLOIE AUSSI SANS ARTICLE POUR EXPRIMER L'ABSTRACTION:

— Après certains autres verbes:
   descendre de voiture, s'occuper d'enfants handicapés.
— Dans certaines expressions comme **faire fortune, prêter serment, jurer fidélité...**

— Après **il y a / il n'y a pas**
EXEMPLES: **Il y a accord** entre tous les pays concernés.
    Il n'y a pas urgence!

D. Négation ou pas?

1 Un(e) / pas un(e); des / pas des

28 *Observez...*

> À l'école maternelle, une petite fille de 4 ans pleure en disant à la maîtresse qu'elle ne veut pas aller manger à la cantine:
> «Je ne veux pas manger **des** pommes de terre» et la maîtresse répond:
> «Il n'y aura peut-être pas **des** pommes de terre aujourd'hui!»
>
> ▶ Le sens du premier emploi de **des** est: Il y a toujours des pommes de terre, je voudrais manger autre chose (un autre légume).
>
> ▶ Le sens du deuxième emploi de **des** est: Il y aura peut-être autre chose que des pommes de terre aujourd'hui (un autre légume).

... puis complétez:

a. Tu veux de la soupe? — Non, surtout pas de la soupe, je mangerai plutôt . . . .

b. Tu prends du café? — Non, ..., je bois . . . .

c. On leur apporte un gâteau? Non, surtout pas . . . . apportons . . . .

d. On pourrait lui offrir un stylo... — Surtout . . . ., il en a cinq ou six! Achetons-lui . . . .

e. Tu aimerais avoir un chat? — . . . ., je préfèrerais . . . .

2 Ce n'est pas un(e), ce ne sont pas des

29 *Observez les deux exemples suivants...*

> a. Oh, les grosses oranges!
> — Ce ne sont **pas des oranges,** ce sont des pamplemousses!
>
> ▶ Après **ce n'est pas, ce ne sont pas,** on utilise toujours l'article.

... puis faites des mini-dialogues avec les deux éléments proposés...

dictionnaires / encyclopédie — amis / connaissances seulement — bébé / grand garçon — artistes professionnels / amateurs

... et maintenant faites d'autres mini-dialogues en trouvant le deuxième élément.

avion / ... — jouet / ... — fruits / ... — gens du pays / ...

30 *Donnez le sens sous-entendu comme dans les exemples (a) et (b) :*

a. Ce qu'il raconte, ce ne sont pas des histoires, tout de même !

— Il n'invente pas, c'est la vérité.

b. Ne t'inquiète pas, ce n'est pas un drame !

— Ça n'a pas tellement d'importance.

c. Laisse-les faire : ce ne sont plus des enfants !

— ....

d. Je regrette, ce n'est pas du travail, ça !

— ....

e. Crois-moi, ce n'est pas une petite affaire !

— ....

f. Mais regarde comment tu manges ! Ce ne sont pas des manières !

— ....

3 Pas un(e) — Pas un(e) seul(e)

31 *Observez...*

a. Tu peux me prêter 100 francs ?
— Je n'ai **pas un sou** sur moi ! (= pas un seul sou, pas d'argent du tout)

b. En sortant du théâtre, on n'a **pas vu un** taxi ! (= il n'y avait pas un seul taxi)

... puis composez d'autres exemples avec les mots proposés et donnez l'équivalent :

ami(e) — moment de libre — lettre — mot — défaut — livre — détail — restaurant — oiseau — bonne note

La reprise
dans le construction du texte

I. Avec l'adjectif démonstratif + nom

32 *Observez...*

a. Nous avons fait un **sondage** sur l'état d'esprit des Français aujourd'hui. Les résultats de **ce sondage** prouvent que leur image a changé !

┌─ sondage
└─► sondage

b. J'ai **économisé** beaucoup d'argent cette année. Avec **ces économies,** je vais m'offrir des vacances en Grèce.

┌─ économiser
└─► économies

▶ **L'adjectif démonstratif + nom** sert à relier deux informations. Le nom est souvent la transformation d'un verbe.

... puis complétez les textes suivants en utilisant l'adjectif démonstratif + nom. Attention à la transformation du verbe si nécessaire !

a. Le Président ira en **visite** officielle au Japon le mois prochain. .... permettra sans doute de régler certains problèmes commerciaux.

b. Il a **décidé** de vendre sa collection de timbres. .... n'a pas été facile à prendre mais il avait besoin d'**argent**.
   — Et qu'est-ce qu'il va faire de ....
   — Payer son loyer, ses impôts, etc.

c. Vous avez **choisi** de nous présenter un poème de Baudelaire. Avant de commencer, expliquez-nous ....

d. Vous avez **employé** «parce que» en début de phrase. Je vous ai déjà dit plusieurs fois que .... ne convenait pas.

e. Ludovic m'a **expliqué** qu'il rentrait tous les soirs à 10 heures parce qu'il préparait l'épreuve de maths du bac avec ses copains. Je ne crois pas beaucoup à ....

f. Les négociations ont **échoué**. Pouvez-vous expliquer les raisons de .... ?

33 *Choisissez l'adjectif démonstratif* + nom *qui convient le mieux pour reprendre l'idée de la première phrase: regardez bien l'exemple (a) et continuez en choisissant les noms dans la liste ci-dessous:*

cas — situation — projet — hausse — diplôme — attitude — idée — manière.

a. En classe, nous étudions la grammaire à travers des textes écrits très variés. Cette manière d'apprendre me plaît beaucoup.

b. On dit que les programmes scolaires sont trop lourds. . . . . n'est pas nouvelle mais personne n'a réussi à changer les choses.

c. Les étudiants peuvent préparer une licence, une maîtrise ou un doctorat. . . . . sont tous des diplômes nationaux.

d. Le prix de l'essence est passé de 5,52 F à 5,78 F. . . . . a surpris tous les automobilistes!

e. On veut construire une nouvelle centrale nucléaire. Les écologistes et les habitants de la région sont contre . . . .

f. Les infirmières ont manifesté: elles travaillent trop et dans de mauvaises conditions, elles ne gagnent pas assez. . . . . ne peut plus durer!

g. Quand nous sommes en vacances, mon mari et mon fils ne veulent rien faire: ils se reposent...
— . . . . est assez fréquente malheureusement! C'est aussi ce qui se passe dans notre famille!

h. Et s'ils refusent notre proposition?
— Dans . . . . nous envisagerons une autre solution.

34 *Dans cet essai écrit par un candidat au baccalauréat, soulignez les idées reprises ou encadrez les éléments repris, comme dans les exemples. Notez bien que la reprise sert à ajouter une information nouvelle qu'on relie à la précédente.*

LE RACISME

Le racisme figure parmi les problèmes les plus importants de notre époque. Il se manifeste sous les formes les plus diverses. En effet, «du seul fait de son appartenance à une race, une religion et, plus récemment, une génération», un homme peut se voir accablé de critiques et de mépris. Mais il est significatif que **cette intolérance** ait été stigmatisée et combattue au cours des siècles. Jacques Fauvet, du *Monde*, a pris conscience du phénomène raciste qui sévit de nos jours. Il en explique dans un de ses articles le mécanisme. Mais le journaliste a-t-il bien compris les raisons profondes du racisme?

Laissée à elle-même, toute opinion est portée au racisme dès lors que la présence de l'«étranger» dépasse un certain seuil, affirme Jacques Fauvet. Les événements qui se passent en France et surtout aux États-Unis semblent prouver la véracité de **cette théorie**. Les statistiques de l'I.N.S.E.E. ont montré que le «seuil» critique d'étrangers dans un pays est de douze pour cent. Si, en France, les travailleurs immigrés et leurs familles ne représentent «seulement» que neuf pour cent de la population, il est à noter qu'aux États-Unis le palier est à vingt pour cent et que les Noirs représentent dix pour cent de la population. **Ces chiffres** peuvent expliquer dans une certaine mesure les événements de Baton Rouge, à La Nouvelle-Orléans, qui ont eu lieu au milieu des années soixante à soixante-dix, et qui ont encore de nos jours une certaine répercussion dans la vie américaine.

Cependant, si Jacques Fauvet affirme que le racisme ne consiste pas à reconnaître les différences entre les peuples, il ajoute par ailleurs qu'il consiste à refuser **ces différences**. En effet, le fait de reconnaître **ces différences** serait plutôt un acte d'acceptation, de tolérance. Les combattre serait digne du racisme le plus sordide.

Malgré tout, si le racisme prend les formes les plus diverses, il est réconfortant de constater que l'éventail des différents moyens employés pour le combattre est tout aussi étendu. Les procédés les plus employés dans **cette lutte** sont la littérature et le cinéma.

Mais si le racisme se manifeste à propos de la race, il se retrouve aussi dans le domaine de la religion. Le massacre de la Saint-Barthélemy en 1572 est là pour en témoigner. Voltaire, en particulier, a combattu **cette forme d'intolérance** avec son article *Dieu* du *Dictionnaire philosophique* où Logomachos, un théologien de Constantinople, prétend apprendre le catéchisme à Dondindac, un sage vieillard. On retrouve **ce même idéal** de tolérance dans *Le Souper* où Zadig doit calmer les esprits d'hommes n'acceptant pas qu'un individu puisse avoir des idées différentes des leurs.

Cependant le racisme ne se contente pas de se manifester au niveau racial et théologique. Il se manifeste également depuis quelques années à l'échelon des générations.

Cette **incompréhension générale** des parents pour la jeunesse s'est signalée au début des années cinquante et fut stigmatisée au cinéma par des films tels que *A l'est d'Eden* ou *L'équipée sauvage*, mettant en vedette des «stars» qui ont nom James Dean ou Marlon Brando, symboles à l'époque de tout un mouvement de jeunes. [...]

Ce conflit des générations, cette méfiance envers la jeunesse s'accentua encore au cours des années soixante à soixante-dix. Le contraste qu'offraient les Beatles avec les Rollings Stones ou les Who semble être le meilleur symbole de **cette opposition**. Les Beatles de Mac Cartney étaient, en effet, pleinement acceptés de la génération passée, car ils restaient dans la limite des normes admises au point de vue des convenances par **cette même génération**. Mais les Stones et les Who, dont la violence scénique et musicale était bien connue à l'époque, eurent beaucoup plus de difficutés à se faire accepter par la société bien-pensante.

Un autre chanteur anglais, Cat Stevens, stigmatise les difficultés de la génération présente avec «les vieux» dans une chanson *(Father and son)* dont le rythme évoque la révolte de la jeunesse face à la sagesse. Un passage particulier nous indique la difficulté d'être jeune en 1975 :

«*Au moment où je voulais m'exprimer,*
Je reçus l'ordre d'écouter.
Maintenant j'ai un choix à faire,
Et je sais que je vais partir.»

On aperçoit au travers de **ces quelques lignes** les extrémités auxquelles peuvent pousser l'hostilité, et, le plus souvent, l'incompréhension qui entourent le jeune d'aujourd'hui.

Bien que le racisme se manifeste dans les domaines les plus différents, il semble qu'une prise de conscience générale se soit produite pour faire face à **ce fléau**. Il est réconfortant, en effet, de constater que la relève des écrivains d'hier tels que Montesquieu, Voltaire ou H. Beecher-Stowe *(La Case de l'Oncle Tom)*, est aujourd'hui assurée sous les formes les plus diverses par des écrivains qui ont noms Gheorghiu, Patton, Martin Luther King. Si l'humanité, à l'avenir, est pourvue de tels hommes, sans doute connaîtra-t-elle une ère dépourvue de préjugés en tous genres.

Anabac de Français, corrigés 1989, Hatier.

II. *Avec le pronom démonstratif*

A. *Celui de, ceux de, celle de, celles de*

35 *Lisez, observez...*

> a. Nous ne parlons pas de la croissance de la France mais de **celle de** l'Allemagne.
> b. «Ne touchez pas à ces affaires, ce sont **celles de** l'autre équipe.»
> c. Ce n'est pas seulement mon avis, c'est **celui de** beaucoup de gens.
> d. Il ne s'agit pas des tableaux de Monet mais de **ceux de** Manet.

... puis relevez les correspondances **nom-pronom** *dans les phrases ci-dessus :*

LE PRONOM	→	REMPLACE UN NOM
La croissance — celle de	→	féminin, singulier
Ces affaires —	→	....
Mon avis —	→	....
Des tableaux —	→	....

36 *Complétez les phrases suivantes en utilisant la bonne forme du pronom démonstratif :*

a. Je n'ai pas parlé des idées de Voltaire mais de .... Diderot.

b. La violence n'est pas un phénomène propre à notre époque, c'était aussi .... siècle dernier.

c. Nous n'irons pas voir la pièce de Racine mais .... Corneille.

d. Ce ne sont pas les jeunes de notre époque qui sont révoltés, c'étaient .... années 60.

e. L'avis de ses amis compte plus que .... ses parents.

f. C'était un solitaire : il n'aimait ni la compagnie des jeunes de son âge ni .... adultes.

g. Dans les œuvres contemporaines comme dans .... autrefois, la femme n'a jamais eu un sort enviable.

B. Celui-là (ci), ceux-là (ci), celle-là (ci), celles-là (ci)

37 *Complétez les phrases suivantes avec le pronom démonstratif qui convient comme dans l'exemple (a), pour désigner un objet par rapport à un autre:*

a. Je n'aime pas ce tableau mais regardez, **celui-là(ci)** est intéressant!

b. Si vous avez déjà lu ce livre, je vous conseille de lire ....

c. Cette guitare est trop sophistiquée; si c'est pour un débutant il vaut mieux prendre ....

d. Ces vases sont très beaux mais .... sont encore mieux décorés.

e. Ces chaussures me plaisent mais je vais prendre ...., elles ont l'air plus confortables.

f. Cette couleur est un peu foncée mais .... est parfaite.

38 *Complétez les phrases suivantes avec le pronom démonstratif qui convient comme dans l'exemple (a):*

a. **Véronique** recommence à arriver tous les matins en retard au bureau!
   — Ah, **celle-là,** elle ne changera jamais!

b. Tu connais **Jean-Pierre**?
   — Ah, ..., ce n'est pas un copain!

c. Au dîner chez Jean, il y aura les **Lebon**.
   — Ah, ..., je n'ai aucune envie de les voir!

d. Tiens, j'ai revu **Mademoiselle Tyné** qui a été votre étudiante.
   — Ah, ..., elle ne m'a pas laissé un bon souvenir!

e. **Tes tantes** m'ont dit que tu allais te marier.
   — Ah, ..., ce qu'elles sont bavardes!

f. **Les voisins** se sont plaint du bruit.
   — Ah, ... ils ne sont jamais contents

▶ Dans ces exemples, la reprise avec **celui-là, ceux-là, celle-là, celles-là**, pour désigner des personnes, **annonce une critique.**

C. *Celui qui, ceux qui, celle qui, celles qui*

39 *Complétez avec le pronom démonstratif qui convient :*

a. Ici, on vend des vêtements de toutes les tailles :

Pour .... sont grosses, pour .... sont minces, pour ....
sont grandes, pour .... sont petites.

b. Notre Village-Club satisfait tout le monde : .... aiment le sport,
.... recherchent le calme et le repos, ... souhaitent rencontrer
d'autres gens, ... aiment danser le soir,

40 *Reliez les deux phrases en remplaçant les mots mis en valeur par* **celui qui** *ou* **ceux qui**

a. La violence n'est acceptée par personne. Mais **les gens qui** la dénoncent ne proposent
contre elle qu'une solution, une autre violence.

....

....

b. Tout individu a droit à des loisirs mais seul **l'individu qui** a des moyens suffisants et
qui ne travaille pas à temps plein peut en profiter.

....

....

c. Tout le monde aspire à la solitude mais **les gens** qui disent l'aimer sont souvent les
premiers à la craindre.

....

....

d. Le vêtement est un indicateur de l'état d'esprit d'une personne. Il noue avec **les gens
qui** le portent des liens subtils.

....

....

e. Peu de gens s'intéressent à l'opéra mais **les gens qui** le font sont des passionnés.

....

....

D. *Celui que, ceux que, celle que, celles que*

41 *Complétez avec le pronom démonstratif qui convient pour assurer la reprise :*

a. Parmi les grands couturiers parisiens, ... je préfère est Yves Saint-Laurent.

b. Parmi les qualités d'un homme, ... j'apprécie le plus sont l'intelligence et la sensibilité.

c. De toutes mes aventures, ... j'ai vécue au Kenya était la plus fantastique.

d. Parmi les projets qui ont été présentés, ... nous trouvons les plus intéressants sont les deux derniers.

e. Parmi les pièces que la Comédie-Française a montées cette année, ... le public a préférée est sans aucun doute *Le Bourgeois gentilhomme*.

f. De tous mes amis, ... je rencontrais régulièrement sont maintenant mariés.

► Celui, ceux, celle(s) + pronom relatif composé, voir chapitre sur les relatifs, page 48.

E. Avec *cela/ça* (oral), *ce* (c')

42 *Observez...*

a. *Le professeur responsable à une maman d'élève*

Claudine a de mauvais résultats dans toutes les matières principales (maths, français, sciences). **Cela** montre qu'elle n'a pas des bases suffisantes. Elle devra redoubler sa 3ᵉ*.
— Bon, **ce** n'est pas trop grave : elle avait, jusque-là, un an d'avance.

b. *Entre deux collègues de travail*

Je suis désolé(e), je n'ai pas pu venir à la réunion. **C'**est ennuyeux ?
— Non, **ça** ne fait rien : on a simplement discuté sans prendre de décision.

---

* *redoubler sa 3ᵉ* = recommencer l'année de 3ᵉ au collège.

... puis notez :

CE (C'), CELA (ÇA) REPRENNENT L'IDÉE CONTENUE DANS LA PHRASE PRÉCÉDENTE ET PERMETTENT DE FAIRE LE LIEN AVEC LA SUITE DU TEXTE

● CE (C') s'emploie **devant le verbe être.**

EXEMPLES : C'est ennuyeux.
Ce n'est pas trop grave.
C'est une solution.

► Si on utilise CELA à la place de CE (C'), le style est plus **soigné.**

EXEMPLES : Cela est tout à fait exact.
Cela n'est pas grave.

● CELA s'emploie **devant un verbe autre que être.**

EXEMPLES : Cela montre une faiblesse.
Cela n'a pas beaucoup d'importance.
Cela ne signifie pas que c'est un échec.

► Dans un style courant et à l'oral, on utilise souvent ÇA à la place de CELA.

EXEMPLES : Ça me plaît.
Ça me fait plaisir.

GRAMMAIRE

43 *Complétez les phrases suivantes avec* ce/c' *ou* ça *(style courant) :*

a. Tu viendras chez Pierre? — ...... m'étonnerait!

b. Tu as passé une bonne soirée? — Ah oui, ... était super!

c. Tu iras faire du ski à Noël? — Peut-être, ... n'est pas certain.

d. Bon, maintenant tu arrêtes de crier; ...... suffit!

e. Je peux te voir demain? — ...... est parfait, ... me va.

f. Voilà mon travail: ...... n'est pas parfait mais je n'ai pas pu faire mieux!

g. Me téléphoner une fois par semaine pour me donner de tes nouvelles, ... te dérange vraiment?

h. Une grève des transports en commun à Paris, ... est catastrophique.

44 *Complétez les phrases suivantes avec* ce/c' *ou* cela *(style soigné)*

a. Dans une grande ville comme Paris, vous pouvez aller au cinéma, au restaurant, au café-concert, au théâtre tous les jours de la semaine ; . . . . . . est très appréciable.

b. Voltaire disait que la littérature «consolait l'âme» ; . . . . . . semble assez vrai.

c. La jeunesse d'aujourd'hui ne milite pas ; . . . . . . prouve bien qu'elle n'est pas idéaliste.

d. On a déjà vu des diplômés quitter l'université pour aller dans le monde du spectacle ; . . . . . . est rare mais . . . . . . se voit.

e. Nous avons essayé le programme avec une nouvelle équipe mais . . . . . . ne fonctionne pas bien non plus.

f. La vente des romans faciles ne cesse d'augmenter et . . . . . . est bien regrettable.

g. Pauvre vieux Pierre, il a l'air si triste depuis qu'il a perdu son chien mais que voulez-vous . . . . . . est la vie.

h. Il n'a pas plu dans la région depuis des mois ; . . . . . . a obligé les autorités à prendre des mesures contre la sécheresse.

i. Passer une semaine au bord de la mer sans pouvoir te baigner une seule fois, ... serait vraiment dommage.

III. Avec *tel(s), telle(s)* + nom

45 *Observez l'emploi de* tel(s) *ou* telle(s) *+ nom et dites ce qu'il reprend comme dans l'exemple (a):*

a. Dans le contexte actuel de crise économique le gouvernement a pris des mesures de rigueur ; de **telles mesures** n'avaient pas été prises depuis longtemps.
   — de telles mesures = des mesures comme celles-là.

b. Pendant son discours il a adressé des reproches à toute l'équipe ; de tels propos ont choqué les joueurs.
   — . . . .

c. Des milliers de sympathisants étaient venus l'applaudir; la presse a noté que le chanteur n'avait pas eu un tel succès depuis longtemps.

— ....

d. «Votre réaction à l'égard de votre professeur est inadmissible; nous avons l'intention de prendre des sanctions contre une telle attitude.»

— ....

e. Il y a eu très peu de participants au Congrès; un tel échec nous oblige à réfléchir sur les conditions d'organisation.

— ....

f. L'hiver a été rude; les températures sont descendues en dessous de 15 degrés. Les Parisiens n'avaient pas connu un tel froid depuis trente ans.

— ....

46 *Remplacez les mots mis en valeur par* **tel(s)** *ou* **telle(s)** *+ nom; le style sera alors plus soigné:*

a. Un couple qui ne s'entend pas, un mari qui trompe sa femme, une femme désespérée; **une intrigue comme celle-là** a peu de chance de faire un bon film.

....

b. Le parlement a modifié la loi concernant les élections; **un changement comme celui-là** va animer le débat politique pendant longtemps.

....

c. Pendant la manifestation des bagarres ont éclaté dans la foule; **des incidents comme ceux-là** sont fréquents au cours des manifestations organisées par les jeunes.

....

d. Notre enquête révèle que 79 % des Français de moins de 40 ans ne sont pas intéressés par la vie politique; **un chiffre comme celui-là** peut sembler spectaculaire.

....

e. Des milliers de personnes sont venues au Salon de l'Automobile; **un enthousiasme comme celui-là** montre que les Français s'intéressent toujours à la voiture.

....

f. Plusieurs personnalités viennent d'être arrêtées pour détournement de capitaux; il y avait longtemps qu'on n'avait pas connu **une affaire comme celle-là**.

....

LES PRONOMS **LE**, **EN**, **Y** PEUVENT REMPLACER :

a) un mot ou un groupe de mot

EXEMPLES : Il faut pouvoir **le** remplacer (le = modèle vieillissant).
(Voir Cahier d'apprentissage 1, page 41.)

Ils ont de grandes peurs et ils **y** pensent (y = à leurs grandes peurs.)
(Voir Cahier d'apprentissage 2, page 31.)

b) un élément de phrase

EXEMPLES : Les sciences et l'économie sont des terrains qu'ils doivent exploiter, mais **le** feront-ils ?
(le = exploiter des terrains.)

c) une idée contenue dans une phrase ou plusieurs phrases

EXEMPLE : le déclin de la famille n'**en** est pas le seul exemple (en = le seul exemple de «la disparition des valeurs»).

LE CHOIX DU PRONOM DÉPEND DE LA CONSTRUCTION :

[...] l'a remarqué = remarquer quelque chose
[...] y ont pensé = penser **à** quelque chose
[...] en sont conscients = être conscients **de** quelque chose

[...] n'en est pas le seul exemple = le seul exemple **de** cette disparition des valeurs.

APRÈS **COMME**, LE PRONOM **LE** (**L'**) ANNONCE UNE IDÉE, UNE CITATION :

EXEMPLES : Comme **l'**a remarqué le sociologue M. Boat..., les progrès de l'éducation au cours des années 60 ont fait reculer la religion.

Comme **le** souligne Jacques Fauvet dans un article du *Monde*, «laissée à elle-même, toute opinion est portée au racisme dès lors que la présence de l'étranger dépasse un certain seuil».

► il accompagne des verbes comme dire, souligner, remarquer, noter, indiquer, préciser...

GRAMMAIRE

49 *Complétez par les pronoms* le, en, y :

a. Qui seront les Français, hommes et femmes de l'an 2000? Nous .... avons déjà parlé dans notre dernier numéro.

b. Une nouvelle génération arrive qui construit les valeurs de l'an 2000; nous .... avons fait allusion la semaine dernière.

c. Comme notre journaliste .... a indiqué au cours de l'enquête, certains dangers menacent ce nouveau millénaire.

d. La vie politique est rejetée et l'élection n'est plus un devoir, les sondages à ce propos .... témoignent.

e. Le mythe du travail meurt et les personnes interrogées préfèrent les loisirs; les chiffres encore une fois .... sont la preuve.

f. Notre journal a fait une enquête sur les artistes de l'avenir; ils ont un énorme talent et ils .... ont prouvé aux Français; il leur reste à conquérir les étrangers: .... parviendront-ils?

50 *Complétez avec* le, en, y *et choisissez un des verbes proposés :*

s'opposer à — savoir — être conscient de — se préparer à — être une preuve de quelque chose.

a. Tout le monde ...., en l'an 2000 la société sera transformée.

b. Certains intellectuels ont peur de cette nouvelle société qui veut se débarrasser de ses valeurs et ils ....

c. Dans cette société les valeurs de plaisir seront très importantes et la France ....; ces nombreux clubs de vacances qui se multiplient ....

d. Un défi attend donc les hommes de l'an 2000; ils devront absolument donner un sens à leurs nouveaux rêves mais .... ?

51 *À vous! Écrivez un article dans notre journal pour notre enquête «An 2000 — Nouvelles valeurs». Vous pourrez parler de l'environnement, de la musique, des arts, des sports, de l'éducation, etc. Pour construire votre texte vous utiliserez les pronoms* le — en — y *comme dans l'exercice précédent.*

Les pronoms relatifs

QUE* DONT

AUQUEL	AUXQUELS	À LAQUELLE	AUXQUELLES
LEQUEL	LESQUELS	LAQUELLE	LESQUELLES
DUQUEL	DESQUELS	DE LAQUELLE	DESQUELLES

I. Formes et jeux de construction

52 *Lisez, observez...*

Il s'agit là d'un problème **que** je connais bien !
(je connais bien ce problème : construction directe)

Il s'agit là d'un problème **dont** nous avons souvent parlé.
(nous avons souvent **parlé de** ce problème)

Il s'agit là d'un problème **dont** le règlement est difficile.
(le règlement **de** ce problème est difficile)

Il s'agit là d'un problème **auquel** je m'intéresse beaucoup.
(je **m'intéresse à** ce problème)

Il s'agit là d'un problème sur **lequel** nous nous penchons.
(nous nous **penchons sur** ce problème)

Il s'agit là d'un problème autour **duquel** il y a une grande polémique.
(il y a une grande polémique **autour de** ce problème)

... maintenant, notez vous-même la construction comme dans l'exemple (a)...

a. Il s'agit là de problèmes qu'
          d'une affaire qu'   } il faut traiter rapidement !
          d'affaires qu'

   Construction : traiter des problèmes, d'une affaire, etc.

b. Il s'agit là de problèmes dont
          d'une affaire dont   } je m'occupe personnellement.
          d'affaires dont

   Construction : ....

---

* Rappel (cf. Exercices d'apprentissage II, p. 56.)

c. Il s'agit là de problèmes dont
   d'une affaire dont   } on ne connaît pas tous les aspects.
   d'affaires dont

Construction : ....

d. Il s'agit là de problèmes auxquels
   d'une affaire à laquelle } personne n'attache d'importance.
   d'affaires auxquelles

Construction : ....

e. Il s'agit là de problèmes sur lesquels
   d'une affaire sur laquelle } chacun a son opinion.
   d'affaires sur lesquelles

Construction : ....

f. Il s'agit là de problèmes autour desquels
   d'une affaire autour de laquelle } on fait trop de publicité.
   d'affaires autour desquelles

Construction : ....

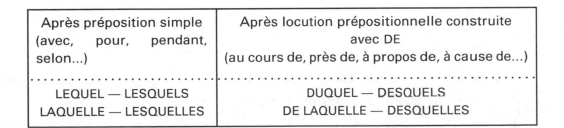

Verbe à construction directe (chercher...)	• Verbe à construction indirecte avec DE (se charger **de**...) • nom 1 + DE + nom 2 (les aspects du problème)	• Verbe à construction indirecte avec À (s'intéresser **à**...) • Locution prépositionnelle construite avec À (grâce à...)
QUE	DONT	AUQUEL — AUXQUELS À LAQUELLE AUXQUELLES

(cf. Exercices d'apprentissage 2, p. 56)

Après préposition simple (avec, pour, pendant, selon...)	Après locution prépositionnelle construite avec DE (au cours de, près de, à propos de, à cause de...)
LEQUEL — LESQUELS LAQUELLE — LESQUELLES	DUQUEL — DESQUELS DE LAQUELLE — DESQUELLES

GRAMMAIRE

1. LE PRONOM RELATIF SERT À LIER DEUX INFORMATIONS :

EXEMPLE : Le groupe **auquel** j'appartiens fonctionne bien.
= J'appartiens à un groupe. Ce groupe fonctionne bien.

La construction relative permet d'éviter la répétition d'un mot, ou du pronom correspondant (**Il** fonctionne bien.)

2. LE PLUS SOUVENT, LE PRONOM RELATIF COMPOSÉ REPREND UN MOT QUI EST MIS EN VALEUR PAR LA CONSTRUCTION RELATIVE.

EXEMPLE : **Cette maladie dont** on ne connaît pas l'origine a déjà fait des centaines de morts.

«Cette maladie» est mise en valeur alors qu'elle ne l'est pas dans la phrase ci-dessous qui signifie la même chose :

On ne connaît pas l'origine de cette maladie qui a déjà fait des centaines de morts.

GRAMMAIRE

II. Emploi des pronoms relatifs composés

A. *Dont / auquel, auxquels, à laquelle, auxquelles*

53 *Complétez et indiquez la construction comme dans les exemples (a) et (b). (Vérifiez la construction verbale dans le Dictionnaire des verbes de la Grammaire vivante du français, pp. 63-62, si nécessaire.)*

a. C'est un architecte dont je ne retrouve pas le nom.

— le nom de l'architecte *(nom 1 + de + nom 2)*

b. Indiquez la liste des cours auxquels vous êtes inscrit.

— être inscrit à un cours *(verbe + à)*

c. Je vous donne toujours des informations .... je suis sûr.

— ....

d. Demain, il y a une conférence sur Lacan .... tous les étudiants du cours de philosophie devront assister.

— ....

e. J'ai un ordinateur à la maison .... je ne me sers jamais parce que c'est trop compliqué !

— ....

f. L'association reçoit un courrier énorme. Il y a les lettres .... on répond personnellement et celles .... on répond par lettre circulaire.

— ....

g. C'est une langue .... le système verbal est particulièrement difficile !

— ....

h. Il y a souvent des détails .... on ne pense pas, mais qui ont leur importance !

— ....

i. Nous avons obtenu une aide importante grâce .... nous pourrons organiser un camp de vacances pour les enfants défavorisés.

— ....

j. Le maire a pris une décision .... tous les villageois se réjouissent.

— ....

B. Préposition simple *(sur, pour...)* + *lequel, lesquels, laquelle, lesquelles*

54 *Complétez avec la forme du pronom qui convient :*

a. Nous nous penchons sur ces problèmes.
   Cela fait partie des problèmes ....
   ....

b. Parmi les œuvres d'art qu'ils ont chez eux, il y a un Picasso, un Renoir et une superbe sculpture de Giacometti !
   — Ils ont chez eux de belles œuvres d'art ....
   ....

c. La majorité des députés voteront sûrement contre ce projet.
   — Je pense que c'est un projet ....
   ....

d. Ici, il pleut pendant cinq mois environ tous les jours, puis c'est la saison sèche.
   — Ici, il y a une période (cinq mois environ) ....
   ....

e. Suivant l'article 3 du règlement, l'élection doit avoir lieu tous les deux ans.

— Dans le règlement, il y a un article ....

....

f. Il faut se battre pour les causes humanitaires.

— Ce sont des causes ....

g. Selon les informations que nous avons obtenues, l'épidémie de choléra se développe.

— En effet, nous avons obtenu des informations ....

....

h. D'après cet article, la situation économique s'est beaucoup améliorée.

— J'ai lu un article ....

....

i. Parmi tous ces vacanciers, il y en aura bien quelques-uns qui comprennent le français
et qui t'aideront !

— Tu pars avec tout un groupe de vacanciers, ...

....

▶ **Parmi lesquel(le)s** peut être remplacé par **dont** devant une expression de quantité :

EXEMPLES : Il y a cinq journaux quotidiens **parmi lesquels / dont** deux paraissent le soir.

Le photographe Lucien Clergue a exposé quarante photos **parmi lesquelles /
dont** beaucoup sont déjà vendues.

J'ai des étudiants **parmi lesquels / dont** quelques-uns sont déjà de très bons
informaticiens.

55 *Complétez avec les éléments proposés :*

a. Ne pas penser à

— C'est une chose ....

b. Il faut tenir compte de

— C'est un élément ....

c. Ne rien faire pour

— C'est la raison ....

d. Insister sur

— C'est un point ....

e. Parler peu de

— C'est un événement important ....

f. Sauver beaucoup de vies humaines grâce à
— C'est une découverte ....

g. Revenir sur
— C'est une décision ....

h. Ne pas avoir de bonnes relations
— C'est une équipe de recherche ....

C. Locution prépositionnelle avec *duquel, desquels, de laquelle, desquelles*

56 *Construisez des phrases avec les éléments proposés comme dans l'exemple (a) :*

a. Le président a fait une conférence de presse. Il a expliqué la situation économique.
/au cours de/

Le président a fait une conférence de presse au cours de laquelle il a expliqué la situation économique.

b. On a construit un grand immeuble. Notre maison paraît minuscule.
/à côte de/

....
....
....
....

c. L'université a fixé des dates d'inscription. Il n'est pas possible de s'inscrire.
/en dehors de/

....
....
....
....

d. C'est une affaire mineure. On a fait beaucoup de bruit pour rien !
/autour de/

....
....
....
....

e. Cette exposition d'objets 1900 durera six semaines. Elle sera envoyée aux États-Unis et au Japon.
/à l'issue de/

....
....
....
....

f. Le Festival de Cannes est une manifestation cinématographique. On remet de nombreux prix aux artistes.

/à l'occasion de/

....
....
....
....

g. Ce sont des principes. Nous nous battons.

/au nom de/

....
....
....
....

h. Il a fait une déclaration. Nous allons publier un démenti.

/à propos de/

....
....
....
....

57 *Complétez les phrases pour expliquer à quoi ça sert, à quoi ça ressemble. Utilisez des pronoms relatifs composés variés* (dont, auquel, avec lequel, grâce auquel, au moyen duquel, *etc.)*

a. C'est un instrument avec ....
....

b. C'est un truc ....
....

c. Ce sont des morceaux de bois ....
....

d. C'est un outil ....
....

e. C'est une sorte de ciseau ....
....

f. C'est un objet ....
....

g. C'est une espèce de bouteille ....
....

III. Emploi des pronoms relatifs composés avec des personnes

58 *Lisez, observez...*

> Rappelez-moi le nom de cet architecte
>   **dont** on a parlé chez Vanessa.
>   **à qui** on va confier la construction du nouveau lycée.
>   **avec qui** tu parlais tout à l'heure.
>   **à côté de qui** vous étiez assis hier au restaurant.

... puis composez des phrases avec les pronoms relatifs proposés et les éléments qui vont le mieux ensemble :

Quelqu'un	sur qui	on admire le savoir
Un médecin	auprès de qui	on a du respect
Un acteur	dont *(2 fois)*	on a prêté de l'argent
Des parents	avec qui	on aime vivre
Celui	à l'égard de qui	on peut faire confiance
Un professeur	à qui *(2 fois)*	on admire le talent
L'ami		on peut compter
Un homme politique		on se sent copains

GRAMMAIRE

1. ON UTILISE LE PRONOM RELATIF **DONT** POUR REMPLACER UNE CHOSE OU UNE PERSONNE :

EXEMPLE : Les **cas dont** on parle le plus.
Les **personnes dont** on parle le plus.

2. ON UTILISE NORMALEMENT **QUI** APRÈS PRÉPOSITION SIMPLE (**À QUI, SUR QUI, AVEC QUI**...) OU UNE LOCUTION PRÉPOSITIONNELLE (**AUPRÈS DE QUI, À L'ÉGARD DE QUI, À CÔTÉ DE QUI**...) AVEC LES PERSONNES :

EXEMPLE : L'**étudiant à qui** j'ai prêté ma cassette ne revient plus au cours !
J'ai **un patron avec qui** je ne m'entends pas du tout !
C'est **un enfant à l'égard de qui** il faut être sévère !

GRAMMAIRE

MAIS LES PRONOMS UTILISÉS POUR LES CHOSES (**AUQUEL**, ETC. / **LEQUEL**, ETC. / **DUQUEL**, ETC.) SONT SOUVENT UTILISÉS POUR REMPLACER DES PERSONNES AUSSI :

EXEMPLES : C'est un **cinéaste auquel** on doit beaucoup.

J'ai un patron **avec lequel** je ne m'entends pas du tout !

Il y a des enfants **à l'égard desquels** il faut être sévère !

SURTOUT S'IL S'AGIT DE PERSONNES EN GÉNÉRAL :

EXEMPLES : Tout dépend **des gens auxquels** on s'adresse !

Il y a **trop d'automobilistes** imprudents **contre lesquels** il faut prendre des mesures plus sévères.

Ce sont **des personnes à l'égard desquelles** nous devrions être plus attentifs.

IV. Emploi des pronoms relatifs composés avec les pronoms *celui, ceux, celle, celles*

59 *Complétez avec les formes verbales proposées en utilisant* celle, celui, ceux, celles *comme dans l'exemple (a) :*

a. devoir le plus à — Il restera, parmi les hommes de lettres, celui à qui la littérature moderne doit le plus.

b. tenir beaucoup à — Ma grand-mère a vendu la plupart de ses tableaux sauf . . . .

c. compter sur / ne pas toujours compter sur — On a toujours beaucoup d'amis mais il y a . . . . et . . . . !

d. te parler souvent de — Tu sais, ma cousine ? . . . . Elle vient de se marier !

e. travailler le plus — J'ai plusieurs dictionnaires mais le Larousse est . . . .

f. écrire à — Tous . . . . ont répondu positivement.

60 *Complétez comme il vous plaira pour utiliser les pronoms relatifs composés :*

a. Nous avons trois objectifs :

— .... dont ....

— .... sur lesquels ....

— .... sans lesquels ....

b. Le stage s'effectue en deux parties :

une période de deux semaines ....

une série de séminaires ....

c. C'est très compliqué. Il y a :

— les gens ....

— ceux ....

— et ceux ....

V. Emploi des pronoms relatifs après le pronom *ce :* *ce dont, ce à quoi, ce sur/contre/avec...quoi*

61 *Lisez, observez...*

a. On pourrait installer une cafétéria, une salle de lecture, que sais-je encore ? **Ce dont** tout le personnel bénéficierait ! (bénéficier de tout cela)

b. Il y a eu un changement de Premier ministre. **Ce à quoi** on ne s'attendait pas ! (s'attendre à cela)

c. À l'examen oral, la question était : «Le sens du tragique dans la littérature contemporaine.» **Ce sur quoi** je n'ai rien pu dire ! (rien dire sur cela)

▶ **CE** est un pronom indéfini qui remplace un élément de phrase, une phrase entière ou même plusieurs phrases. Il reprend une idée complète.

Cette construction relative est fréquente avec **dont** et **à quoi,** assez fréquente avec **sur quoi, contre quoi, avec quoi.** On ne l'utilise pas avec les locutions prépositionnelles comme **auprès de, à l'occasion de,** etc.

(Voir l'emploi de *ce + pronom relatif*, p. 36)

… et complétez avec les formes verbales proposées comme dans l'exemple (a)

a. être fière de

Hugo n'est pas facile à convaincre mais j'ai réussi. Ce dont je suis très fière !

b. répondre négativement à

On lui a demandé de s'occuper de la comptabilité en plus de son travail habituel. …

....

c. être capable de

Je vous avais dit qu'on ne pouvait pas faire confiance à ces gens-là. Voilà ....

....

d. il faut réfléchir d'urgence à

Améliorer la production, réduire les dépenses, informatiser la gestion. Voilà ....

....

e. se moquer éperdument de

Tout le monde lui dit de terminer ses études, de penser à son avenir, etc. ....

....

f. il faut se féliciter de

Le chômage a reculé de 3 % cette année. ....

....

g. se battre tous les jours contre

La faim, le froid, la maladie. C'est ....

....

h. se pencher sérieusement sur

Le pays a besoin d'une économie plus dynamique pour améliorer les exportations. ..

....

i. on peut rêver de

Les vacances au Club ont été fantastiques : repos, sport, divertissement. Tout ....

....

j. se plier à

Il a exigé que je vienne travailler tous les samedis matin. ....

....

VI. Manipulation avec *c'est*

62 *Lisez et observez:*

a.   Les gens n'ont pas reçu l'invitation à temps.
    C'est la raison | pour laquelle | presque personne n'est venu.
    ► C'est | pour | cette raison | que | presque personne n'est venu.

b.   Oui, c'est bien l'employé | à qui | j'ai remis mon dossier.
    ► Oui, c'est bien | à | cet employé | que | j'ai remis mon dossier.

GRAMMAIRE

1. LE PRONOM RELATIF COMPOSÉ PEUT ÊTRE REMPLACÉ PAR **PRÉPOSITION**... + **QUE** DANS LA CONSTRUCTION AVEC **C'EST**. CETTE CONSTRUCTION EST OBLIGATOIRE

• **avec un nom de personne:**
EXEMPLE: C'est **de** Dominique **que** je parle.

• **ou avec un pronom complément d'objet:**
EXEMPLES: C'est **à lui que** je parle.
             C'est **pour vous quo** nous faisons cela!

2. DANS LA CONSTRUCTION **C'EST** + **PRÉPOSITION** ... + **QUE**, notez l'emploi de **ce, cette, ces** en comparant les deux exemples suivants:

EXEMPLE: C'est **la** période au cours de laquelle il a écrit le plus de romans.
      ► C'est au cours de **cette** période qu'il a écrit le plus de romans.

63 *Transformez la construction proposée comme dans l'exemple (a):*

a. C'est la page sur laquelle vous devez résumer votre projet.
   C'est sur cette page que vous devez résumer votre projet.

b. Ils veulent détruire la vieille bibliothèque. C'est un projet contre lequel nous luttons
   . . . .

c. Souvenez-vous, c'est le film grâce auquel Alain Delon est devenu célèbre.
   . . . .

d. Vous ne connaissez peut-être pas Jean Rouault. C'est le jeune romancier dont nous parlerons dans notre prochaine émission.

....

e. J'ai revu Monsieur Loumin, c'est le professeur à qui je dois tout !

....

f. La séance du 20 octobre 1989 a été terrible ! Mais c'est la séance à l'issue de laquelle nous avons signé l'accord de coopération avec l'Aérospatiale.

....

64 *Transformez les phrases suivantes en utilisant la construction qui convient (pronom relatif composé ou préposition... que) :*

a. Je passe toujours mes vacances avec eux.

C'est ....

b. On ne peut pas discuter avec cette personne !

C'est une ....

c. J'ai passé mon bac grâce à lui.

C'est ....

d. Il s'agit de nous, non ?

C'est ....

e. Nous avons l'habitude de travailler avec cet organisme.

C'est l' ....

f. Tout repose sur elle !

C'est ....

▶ On dit :
   Ce sont des gens pour qui/lesquels nous faisons un effort particulier.
mais on dit :
   C'est pour **ces gens** que nous faisons un effort particulier.

65 *À vous. Racontez le scénario d'un film en utilisant les pronoms relatifs étudiés : « C'est un film dont..., dans lequel..., etc. »*
Donnez votre opinion sur un événement : « Il s'agit de... sur lequel..., etc. »

Le passif

I. Formation et temps du passif

66 *Lisez, observez les formes mises en valeur...*

> a. En France, le Premier ministre **est nommé** par le président de la République.
>
> — C'est le président qui nomme le Premier ministre! Dans mon pays, c'est différent.
>
> b. Vous savez certainement que la CEE * **a été fondée** en 1957.
>
> — Bien sûr, la création de la CEE en 1957 est un événement que tous les Européens connaissent bien.
>
> c. Vous savez que les députés européens **sont élus** tous les cinq ans?
>
> — Oui, en tant qu'Européen je sais qu'on élit les députés tous les cinq ans; les députés actuels **ont été élus** en 1988 et les prochains **seront élus** en 1993.
>
> _____
> *La CEE:* La Communauté Économique Européenne.

... notez la transformation...

  • Le président de la République ⌐nomme⌐ le Premier ministre.

  ►• Le Premier ministre ⌐est nommé⌐ par le président de la République.

... quelle remarque pouvez-vous faire:

— sur la transformation du verbe? ....
....
— sur la place des éléments? ....
....
....

... puis relevez les verbes à la forme passive et notez le temps de l'auxiliaire **être**:

— Le président est nommé   présent

— La CEE a été fondée   ....

— Les députés européens ....

— Les députés actuels ....

— Les prochains ....

... Comment est formé le passif ? Observez l'accord du participe passé.

....

....

67 *Mettez les phrases proposées au passif et indiquez le temps des verbes comme dans les exemples (a) et (b) :*

a. Pierre Renaut joue le rôle du père.
   Le rôle du père est joué par Pierre Renaut.
   joue (= présent) $\Longrightarrow$ être (= présent) + joué

b. On vient d'**élire** une femme à la direction de la société.
   Une femme vient d'**être** élue à la direction de la société.
   élire (= infinitif) $\Longrightarrow$ être (= infinitif) + élue

c. À l'occasion de la cérémonie, le Président a décoré dix anciens combattants.

   ....

   ....

d. Marc Legrand remplacera Louis Gallet à partir de lundi.

   ....

   ....

e. Le directeur avait reçu lui-même les candidats.

   ....

   ....

f. Le porte-parole du gouvernement annoncerait la nouvelle ce soir à 20 heures.

   ....

   ....

g. Restez chez vous, l'agence pourrait vous appeler dans la matinée.

   ....

   ....

h. À cette époque, mon oncle nous invitait très souvent

   ....

   ....

II. Les emplois du passif

A. Pour mettre en valeur le sujet du passif

68 *Mettez les phrases suivantes au passif, notez bien la mise en valeur du sujet du passif :*

a. Le 14 juillet 1989 François Mitterrand a inauguré le nouvel opéra, l'Opéra de la Bastille.
Le nouvel opéra, l'Opéra de la Bastille ....

b. C'est l'architecte Gae Aulenti qui a conçu en partie le Musée d'Orsay, musée d'art du XIXᵉ siècle.
....
....

c. Dans les années 85-88, l'architecte américain Ieoh Ming Pei a aménagé le Louvre.
....
....

d. En 1978, Valéry Giscard d'Estaing avait lancé le projet d'un musée des Sciences.
....
....

e. C'est l'architecte parisien Jean Nouvel qui a dessiné les plans de l'Institut du Monde arabe.
....

B. Pour éviter l'emploi de *on*

69 *Transformez les phrases proposées comme dans l'exemple (a) :*

a. Hier à 15 heures, on a cambriolé la Banque Populaire.
→ Hier à 15 heures, la Banque Populaire a été cambriolée.

b. Est-ce qu'on a trouvé une solution ?
....

c. On leur enverra une convocation un peu plus tard.
....

d. On vient de nous rembourser la facture.

   ....

e. Cette année-là, on donnait cette émission tous les lundis sur la chaîne 3.

   ....

 f. On a découvert la pénicilline juste après la guerre.

   ....

g. On doit la prévenir dès aujourd'hui.

   ....

h. On doit respecter deux conditions : avoir moins de 25 ans, être célibataire.

   ....

70 *Transformez les informations annoncées avec les verbes proposés comme dans l'exemple (a) :*

Les faits marquants de l'année 1981

a. JANVIER 1981   **Élection** de Ronald Reagan à la présidence des États-Unis.   (élire)
En janvier 1981 Ronald Reagan a été élu à la présidence des États-Unis.

b. MARS 1981   **Vente** de neuf Airbus aux U.S.A.   (vendre)

   ....

c. MAI 1981   **Élection** de François Mitterrand à la présidence de la République française.   (élire)

   ....

d. SEPTEMBRE 1981   **Abolition** de la peine de mort en France.   (abolir)

   ....

e. OCTOBRE 1981   **Assassinat** du président égyptien Anouar El Sadate.   (assassiner)

   ....

 f. NOVEMBRE 1981   **Attribution** du prix Goncourt à Lucien Bodard pour son livre *Anne-Marie.*   (attribuer)

   ....

71 *À vous ! Recherchez les faits marquants de votre année de naissance et faites-en un exercice comme l'exercice précédent.*

1. **LE PASSIF** EST UNE TRANSFORMATION QUI SERT :

• **à mettre en valeur le sujet du passif qui est placé au commencement de la phrase :**

EXEMPLE : La peine de mort a été abolie en 1981.

• **à remplacer le pronom *on* indéfini :**

EXEMPLE : ┌── On l'a accusé d'avoir menti.
└──▶ Il a été accusé d'avoir menti.

2. **L'ACTEUR** INTRODUIT PAR **PAR** N'EST PAS TOUJOURS NÉCESSAIRE :

EXEMPLE : La CEE a été créée en 1957.

On ne l'utilise que si on veut préciser qui est l'acteur.

EXEMPLE : L'autorisation doit être signée par **vos parents**.

3. **LE PASSIF** EST POSSIBLE SEULEMENT SI LE VERBE EST UN VERBE À CONSTRUCTION DIRECTE :

EXEMPLES : ┌── Le médecin a examiné les enfants. (examiner quelqu'un)
└──▶ Les enfants ont été examinés par le médecin.
Le médecin a parlé aux enfants. (parler à quelqu'un) : **la transformation est impossible.**

GRAMMAIRE

---

72 *Transformez avec le passif quand c'est possible :*

a. On a pensé à ce projet depuis déjà longtemps.

....

b. Cette exposition m'a beaucoup plu.

....

c. On le connaissait à l'époque dans le monde entier.

....

d. Toute l'école a ri de son histoire.

....

e. Sa mère lui téléphonera une fois par semaine.

....

f. On leur a envoyé une lettre en urgence.

....

III. Les verbes pronominaux de sens passif

A. Verbe pronominal simple

73 *Lisez ces phrases, observez la transformation...*

> ┌─ On publie beaucoup ce type de livre ; c'est une mode.
>
> └→ Ce type de livre **se publie** beaucoup ; c'est une mode.
>   (= ce type de livre est beaucoup publié.)

... puis transformez vous-même comme dans l'exemple (a) :

a. En France, on finit toujours un bon repas par du fromage.
    En France, un bon repas se finit toujours par du fromage.

b. À l'heure actuelle on rencontre de plus en plus souvent ce phénomène.

....

c. On voit cette situation fréquemment.

....

d. On sert ce vin blanc avec les desserts seulement.

....

e. On emploie de moins en moins cette expression.

....

f. On utilisait ce produit il y a au moins vingt ans !

....

g. On doit manger ce plat très chaud.

....

GRAMMAIRE

1. LA FORME PRONOMINALE DE SENS PASSIF S'UTILISE À DEUX CONDITIONS :

● **Le verbe doit avoir une construction directe**

● **Le sujet du passif ne peut pas être une personne**

EXEMPLES : servir un vin / ce vin se sert frais.

ne plus utiliser un mot / ce mot ne s'utilise plus.

2. CETTE FORME APPARTIENT AU STYLE SOIGNÉ ; ELLE PERMET D'ÉVITER **ON**

EXEMPLE : ┌── On construit beaucoup d'immeubles sur la côte.
└─► Beaucoup d'immeubles se construisent sur la côte.

B. Les verbes pronominaux + infinitif :
se laisser, se faire, se voir, s'entendre

74 *Lisez ces phrases, observez les transformations...*

a. On a attaqué Marc dans le métro.
Marc a été attaqué dans le métro.
Marc **s'est fait attaquer** dans le métro.

b. On les a convaincus.
Ils ont été convaincus.
Ils **se sont laissé convaincre**.

c. On m'a accusé(e) pour rien.
J'ai été accusé(e) pour rien.
Je **me suis vu accuser** pour rien.

d. On lui a dit qu'elle avait tort.
Il lui a été dit qu'elle avait tort.
Elle **s'est entendu dire** qu'elle avait tort.

► Notez qu'il n'y a pas accord du participe passé.

... puis transformez les phrases proposées en utilisant le verbe pronominal qui convient ; le style sera plus soigné :

se faire refouler — se laisser attaquer — se faire entendre — s'entendre répondre — se voir reprocher

a. Au cours de la dernière réunion, on a entendu des voix de mécontentement venant du fond de la salle.

....

b. À la fin de l'année on a reproché à la direction d'avoir mal géré l'entreprise.

   ....

c. On l'a attaquée sur son projet et elle n'a pas trouvé d'arguments pour sa défense.

   ....

d. Après la présentation du programme on nous a répondu qu'il n'était pas cohérent.

   ....

e. On a refoulé ces voyageurs à la frontière parce que leurs papiers n'étaient pas en règle.

   ....

75 *À vous! utilisez le passif pour fabriquer un article de journal à partir des éléments proposés; vous ajouterez toutes les informations nécessaires pour construire un texte complet:*

a. *Fait divers*

— On a cambriolé l'appartement de M. X.
— On a volé les objets les plus précieux.
— La police a interrogé les voisins.
— Le commissaire Néfin mène l'enquête.
— Au bout de deux semaines, la police a arrêté les malfaiteurs et les a conduits sans résistance chez le commissaire.
— Le commissaire les a gardés à vue pendant 24 heures avant de les emprisonner à la prison de Fresnes.

b. *Culture*

— On a publié ce livre en 1972.
— La presse l'a bien accueilli.
— On a vendu 100 000 exemplaires en un mois.
— Le prix Interallié a couronné l'ouvrage.
— Mais le succès a grisé l'auteur.
— Plus aucune publication.
— Tout le monde l'a oublié depuis.

Le passé simple

EMPLOI ET VALEUR
PAR RAPPORT AU PASSÉ COMPOSÉ

I. Conjugaison du passé simple

A. Conjugaison des verbes en *-er*

76 *Lisez, observez...*

> Dès qu'elle **entra** sur scène, l'assistance **se leva** et l'**acclama**. Elle **s'approcha** du piano et **commença** à chanter. Divinement... Quand les dernières paroles **s'envolèrent**, les spectateurs **restèrent** figés quelques instants puis ils **laissèrent** exploser leur émotion dans un tonnerre d'applaudissements.

... puis relevez les verbes au passé simple et indiquez leur infinitif. Ce texte pourrait être au passé composé ; donnez aussi la correspondance comme dans le premier exemple :

elle entra	entrer	elle est entrée
....	....	....
....	....	....
....	....	....
....	....	....
....	....	....
....	....	....
....	....	....

... et maintenant apprenez la conjugaison du passé simple

▶ ER est remplacé par - AI
　　　　　　　　　　 - AS
　　　　　　　　　　 - A
　　　　　　　　　　 - ÂMES ⎫
　　　　　　　　　　 - ÂTES ⎬ Notez l'accent circonflexe
　　　　　　　　　　 - ÈRENT ⎭

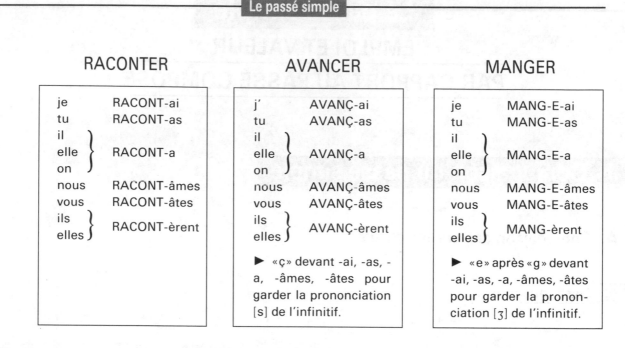

RACONTER

je	RACONT-ai
tu	RACONT-as
il elle on	RACONT-a
nous	RACONT-âmes
vous	RACONT-âtes
ils elles	RACONT-èrent

AVANCER

j'	AVANÇ-ai
tu	AVANÇ-as
il elle on	AVANÇ-a
nous	AVANÇ-âmes
vous	AVANÇ-âtes
ils elles	AVANÇ-èrent

► «ç» devant -ai, -as, -a, -âmes, -âtes pour garder la prononciation [s] de l'infinitif.

MANGER

je	MANG-E-ai
tu	MANG-E-as
il elle on	MANG-E-a
nous	MANG-E-âmes
vous	MANG-E-âtes
ils elles	MANG-èrent

► «e» après «g» devant -ai, -as, -a, -âmes, -âtes pour garder la prononciation [ʒ] de l'infinitif.

77 *Complétez avec les verbes proposés au passé simple (infinitif en -er):*

a. *François 1er, roi de France de 1515 à 1547*

François 1er . . . . à son cousin Louis XI. Il   succéder

. . . . les guerres d'Italie; il . . . . les   continuer / passer

Alpes et . . . . la fameuse bataille de Marignan en   remporter

1515 contre les Suisses. En 1519, il . . . . de se faire   essayer

élire empereur du Saint-Empire (Allemagne, Espagne, Naples,

Sicile et Amérique latine) mais c'est Charles-Quint qui

l'. . . . . En France, il . . . . les arts et les   emporter / encourager

lettres, ... à la Cour, les poètes et les peintres   attirer

(notamment Léonard de Vinci), ... le Collège de   fonder

France (1530) et . . . . l'Imprimerie nationale (1530).   créer

En 1539, par l'Ordonnance de Villers-Cotterêts, il

. . . . le français, au lieu du latin, dans la rédaction des   imposer

textes juridiques.

b. *À la manière d'un auteur du XIXe siècle*

La famille de Mareuil avait connu ce que l'on appelle un revers de

fortune*. Le plus jeune des fils, que je rencontrais fréquemment

au cours de promenades à cheval dans la forêt, ...   attirer

mon attention. Nous . . . . et nous . . . .   parler / commencer

à nous aimer.

---

* *un revers de fortune:* disparition de la fortune.

Mais, mes parents . . . . que ce garçon n'était pas de   déclarer

notre rang et . . . . à nos fiançailles.   s'opposer

J'. . . . ., ... de ma passion, de la sensi-   insister / parler

bilité d'Hubert, de son intelligence... Ils ne . . . . pas !   céder

À la fin, je . . . . et . . . . de disparaître   se fâcher / menacer

pour toujours. J'. . . . . passer un mois chez ma tante,   aller

la Marquise de Boulensac qui . . . . compréhensive et   se montrer

m'. . . . . Quand je . . . . au château, ma   encourager / rentrer

vieille mère m'. . . . ., me . . . . Nous   embrasser / supplier

. . . . beaucoup. Elle me . . . . d'attendre,   pleurer / demander

de laisser passer le temps. Je . . . . : «Je n'attendrai   protester

pas plus, je lui ai donné ma parole. Je préfèrerais mourir !» Nous

. . . . dans les cris et les larmes et je . . . .   se quitter / s'enfermer

dans ma chambre.

B. Conjugaison des autres verbes

78 *Apprenez la conjugaison du passé simple :*

■ en [y] ■ en [i] ■ en [ɛ̃]

TYPE CROIRE

je	CR-us
tu	CR-us
il elle on	CR-ut
nous	CR-ûmes
vous	CR-ûtes
ils elles	CR-urent

Autres verbes :

vouloir ; falloir ; courir ; mourir ; conclure ; savoir ; pouvoir ; devoir ; lire ; plaire ; paraître ; croire ; boire ; recevoir ; vivre ; pleuvoir ; etc.

TYPE DIRE

je	D-is
tu	D-is
il elle on	D-it
nous	D-îmes
vous	D-îtes
ils elles	D-irent

Autres verbes :

finir ; partir ; ouvrir ; faillir ; vendre ; répondre ; suivre ; s'asseoir ; peindre ; conduire ; écrire ; faire ; voir ; prendre ; mettre ; apprendre ; naître ; etc.

TYPE VENIR

je	V-ins
tu	V-ins
il elle on	V-int
nous	V-înmes
vous	V-întes
ils elles	V-inrent

Autres verbes :

tous les verbes en -enir

tenir ; devenir ; parvenir ; retenir ; etc.

■ Conjugaison du passé simple des verbes **être** et **avoir**.

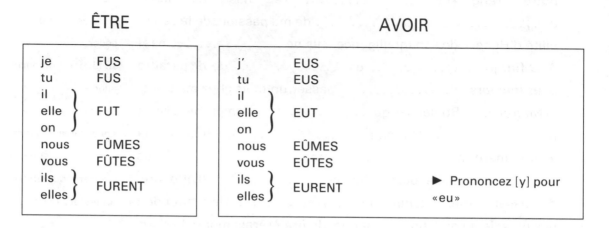

ÊTRE		AVOIR	
je	FUS	j'	EUS
tu	FUS	tu	EUS
il elle on	FUT	il elle on	EUT
nous	FÛMES	nous	EÛMES
vous	FÛTES	vous	EÛTES
ils elles	FURENT	ils elles	EURENT

▶ Prononcez [y] pour «eu»

▶ **être** ou **avoir** au passé simple + participe passé s'emploient pour marquer l'antériorité de l'action :

EXEMPLES : Dès qu'elle **fut partie,** la fête commença !
Aussitôt qu'ils **eurent mangé,** on arrangea la salle pour le bal.

On trouve aussi **être** au passé simple + participe passé dans le passif :

EXEMPLES : Les travaux **furent terminés** en 1867.
Napoléon **fut battu** à Waterloo par les Anglais en 1815.

II. Emplois du passé simple

79 *Lisez ces textes de plaques commémoratives que l'on trouve sur beaucoup d'immeubles ou de maisons en France. Retrouvez l'infinitif des verbes au passé simple et indiquez la correspondance au passé composé :*

Ici le club des Cordeliers* tint séance de 1791 à 1794	Ici naquit le 25 octobre 1844 Sarah Bernhardt gloire de notre théâtre.
....	....

* La société des droits de l'homme et du citoyen.

... *Rédigez le texte de quatre plaques commémoratives en vous aidant du dictionnaire. Utilisez les verbes vivre, mourir, séjourner, être arrêté, être emprisonné, être signé...*

80 *Relevez les verbes au passé simple, donnez l'infinitif et la forme correspondante du passé composé :*

a. Il y avait, à côté du puits, une ruine de vieux mur de pierre. Lorsque je revins de mon travail, le lendemain soir, j'aperçus de loin mon petit prince assis là-haut, les jambes pendantes. Et je l'entendis qui parlait :

— Tu ne t'en souviens donc pas ? disait-il. Ce n'est pas tout à fait ici !

Une autre voix lui répondit sans doute, puisqu'il répliqua :

— Si ! Si ! c'est bien le jour mais ce n'est pas ici l'endroit...

Je poursuivis ma marche vers le mur. Je ne voyais ni n'entendais toujours personne. Pourtant, le petit prince répliqua de nouveau :

— ... Bien sûr. Tu verras où commence ma trace dans le sable. Tu n'as qu'à m'y attendre. J'y serai cette nuit.

J'étais à vingt mètres du mur et je ne voyais toujours rien.

Le petit prince dit encore, après un silence :

— Tu as du bon venin ? Tu es sûr de ne pas me faire souffrir trop longtemps ?

Je fis halte, le cœur serré, mais je ne comprenais toujours pas.

Maintenant va-t'en, dit-il... je veux redescendre !

Alors j'abaissai moi-même les yeux vers le pied du mur et je fis un bond ! Il était là, dressé vers le petit prince, un de ces serpents jaunes qui vous exécutent en trente secondes...

Saint-Exupéry, Le Petit Prince © Éd. Gallimard.

b. Les dés à jouer étaient connus en Égypte, en Orient, en Inde. Les Grecs... y jouaient avec passion. Les Romains y étaient aussi adonnés[1] et l'empereur Claude écrivit un traité du jeu. La tradition rapporte que les soldats romains jouèrent aux dés la tunique du Christ. Pendant tout le Moyen Âge, les dés devinrent une occupation favorite, souvent même une passion, dans toutes les parties de l'Europe.

Mémo Larousse, 1989, p. 1182.

c. Elle aima le maréchal de Saxe de toute son âme : elle fut l'une des plus célèbres actrices du XVIIIe siècle, l'égérie[2] de la Comédie-Française ; elle suscita d'intenses jalousies, de folles passions et en mourut empoisonnée, à 37 ans. Adrienne Lecouvreur n'eut pas de funérailles : sur ordre de Maurepas, on fit disparaître son corps ; elle devint donc un mythe.

Catherine Clément, Adrienne Lecouvreur, ou le cœur transporté, Éd. Laffont.
D'après Le Point, 4 mars 1991, p. 29.

1. *étaient adonnés :* y jouaient beaucoup.
2. *l'égérie :* la personne la plus importante, la plus aimée.

GRAMMAIRE

LE PASSÉ SIMPLE NE S'EMPLOIE QU'À L'ÉCRIT. IL EST UTILISÉ À LA PLACE DU PASSÉ COMPOSÉ

— dans le style littéraire, même aujourd'hui,
— dans le récit historique,
— dans les textes documentaires,
— dans le style journalistique.

Il est très employé avec **il(s)** et **elle(s)** qui sont les sujets les plus fréquents dans la narration. On le trouve aussi avec **je** et **nous** mais très rarement avec **tu** et **vous** qui sont les personnes du dialogue.

III. Emplois concurrents du passé simple et du passé composé

81 *Lisez, observez...*

> Agnès Varda (cinéaste) écrit en 1956 :
>
> **J'ai tourné** 10000 mètres de pellicule. **J'ai appelé** Alain Resnais. Il m'**a dit** : «Numérotez de 1 à 10000 chaque mètre. Séparez et classez les prises doubles.» Ce que je **fis**. Puis **rappelai**. «Bon, j'arrive.» Et sans impatience, Resnais **monta** *La pointe courte.*
> *L'Express,* 8 février 1991, p. 56.

... puis notez

les verbes au passé composé	*les verbes au passé simple*
j'	je ....
j'	(je) ....
il	Resnais ....

▶ Dans le même texte, on peut trouver le passé simple et le passé composé. L'un a une valeur particulière par rapport à l'autre. Dans ce texte, ils séparent deux séries d'actions qui correspondent aux deux étapes de la préparation du film puis de sa réalisation (exceptionnelle par Resnais). Agnès Varda joue naturellement avec les deux temps pour mieux différencier les actions.

82 *Lisez les textes suivants et cherchez la valeur du passé composé par rapport au passé simple :*

a. Veux-tu lire ce qu'il y a d'écrit au-dessus de ta partition[1] ? **demanda** la dame.
— Moderato Cantabile, **dit** l'enfant.
...
— Et qu'est-ce que ça veut dire, moderato cantabile.
— Je sais pas.
— Je te l'**ai dit** la dernière fois, je te l'**ai dit** l'avant-dernière fois, je te l'**ai dit** cent fois, tu es sûr de ne pas le savoir ?
L'enfant ne **jugea** pas bon de répondre...
— Ça veut dire, **dit**-elle à l'enfant — écrasée — pour la centième fois, ça veut dire modéré et chantant.
— Modéré et chantant, **dit** l'enfant totalement en allé où ?[2]
— Recommence, **dit** la dame.
L'enfant ne **recommença** pas.
— Recommence, j'**ai dit**.
L'enfant ne **bougea** pas davantage.
...
— Je ne veux pas apprendre le piano, **dit** l'enfant.

MARGUERITE DURAS, *Moderato cantabile* (1958) © Éditions de Minuit.

b. Charles-Louis de Secondat, futur baron de Montesquieu, **est né** au château de la Brède, près de Bordeaux. Il **fut** d'abord magistrat au parlement de Bordeaux puis **abandonna** sa charge pour se consacrer à l'écriture. En 1721, paraissent les *Lettres persanes*... [qui] **connurent** un très grand succès en France et en Europe.

c. Pour installer son siège, Europe 1[3] **a choisi** d'anciens studios de cinéma : les illustres locaux et les décors où **furent tournés** notamment *Les Enfants du Paradis* et *Hôtel du Nord* **partirent** ainsi en fumée car il fallait répondre aux exigences d'installation d'une station de radio. Mais, ironie du sort, en 1980, il **a fallu** reconstruire des studios pour pouvoir réaliser des émissions télévisées à grand succès comme *Le Club de la presse* et le *Top 50*.

GRAMMAIRE

L'emploi du passé simple et du passé composé (avec d'autres temps évidemment) dans le même texte indique une volonté de l'auteur de mettre les actions passées sur des plans différents. Cet emploi concurrent du passé simple et du passé composé n'obéit pas à une règle ; il peut avoir diverses valeurs suivant les textes. Il faut étudier le jeu de l'auteur pour créer des ruptures entre les actions et produire ainsi un effet dynamique.

1. *partition* : notation musicale.
2. *en allé où ?* : l'enfant pensait à autre chose.   3. *Europe 1* : station de radio en France.

Le participe présent
Le gérondif

I. Le participe présent

A. Formation

83 *Lisez, observez les formes mises en valeur et donnez pour chacune l'infinitif et la forme correspondante au présent comme dans l'exemple (a):*

---

a. C'est un train **pouvant** rouler jusqu'à 500 km à l'heure.

— pouvoir   / nous pouvons   / pouvant

b. Elle aperçut le jeune homme **sortant** de la messe et **se dirigeant** vers l'auberge du village.

— .... / .... / ....
— .... / .... / ....

c. Les enfants **commençant** à s'agiter, la monitrice décida de les emmener jouer au jardin.

— .... / .... / ....

LE PARTICIPE PRÉSENT EST UNE *FORME DU VERBE* QUI SE TERMINE PAR **-ANT**:

EXEMPLES : marcher   nous MARCH-ons   MARCH-ANT
boire   nous BUV-ons   BUV-ANT
agir   nous AGISS-ons   AGISS-ANT
se plaindre   nous nous PLAIGN-ons   se PLAIGN-ANT

● **Trois formes sont** *irrégulières* :

EXEMPLES : avoir   AYANT
être   ÉTANT
savoir   SACHANT

GRAMMAIRE

GRAMMAIRE

- **Les formes** avoir / être + *participe passé* expriment L'ANTÉRIORITÉ

  EXEMPLES : avoir mangé   AYANT MANGÉ

  être sorti   ÉTANT SORTI

- **Il s'utilise à la *forme négative* :**

  EXEMPLES : ne pas pouvoir   ne pouvant pas

  ne pas savoir   n'ayant pas su

---

84 *Trouvez la forme du participe présent comme dans l'exemple (a) :*

a. Prendre

nous prenons — prenant

b. Écrire

nous . . . . — . . . .

c. Lire

nous . . . . — . . . .

d. Dormir

nous . . . . — . . . .

e. Aller

nous . . . . — . . . .

f. Choisir

nous . . . . — . . . .

g. Jeter

nous . . . . — . . . .

h. Se noyer

nous nous . . . . — se . . . .

i. Peindre

nous . . . . — . . . .

j. Faire

nous . . . . — . . . .

k. Répondre

nous . . . . — . . . .

l. Ne pas boire

nous . . . . — . . . .

B. Emplois

1 Le participe présent remplace *la relative avec qui*

85 *Lisez, observez la transformation...*

> C'est un train **pouvant** rouler à 500 km/heure.
> ► C'est un train qui peut rouler à 500 km/heure.

... puis faites les transformations vous-même :

a. C'est un monument parisien ayant 1 700 marches.

....

— C'est ....

b. Tableau représentant un paysage tropical.

....

c. Comment s'appelle un homme sachant parler plusieurs langues?

.... ?

— C'est ....

d. Comment appelle-t-on une personne sachant lire l'avenir dans les cartes?

.... ?

— C'est ....

e. Perdu chien berger allemand avec collier. Toute personne l'ayant aperçu peut me joindre au 72.34.89.

....

86 *Transformez la relative avec qui en utilisant le participe présent :*

a. À votre droite vous pouvez voir un tableau qui représente un coucher de soleil sur un champ de blé.

....

b. Voici les documents qui concernent votre inscription à l'université.

....

c. Comment appelle-t-on cet animal qui ressemble à un oiseau et à une souris?

.... ?

d. Citez des exemples qui illustrent votre point de vue.

....

e. Nous cherchons une étudiante qui peut garder un enfant le mercredi.

....

f. C'est un poème qui dépeint la solitude.

....

87 *À vous! Inventez des devinettes comme dans les exemples (c) et (d) de l'exercice.*

2 Le participe présent remplace *au moment où, quand, lorsque, en train de* + infinitif.

88 *Lisez, observez les formes utilisées...*

> Elle aperçut le jeune homme **sortant** de la messe.
> Elle aperçut le jeune homme au moment où (quand, lorsque) il sortait de la messe.
> Elle aperçut le jeune homme en train de sortir de la messe.
>
> ► Condition obligatoire : 2 verbes et 2 sujets
> Elle = sujet 1   aperçut = verbe 1
> le jeune homme = sujet 2   sortant = verbe 2

... puis remplacez le participe présent par la forme qui convient le mieux :

a. La veille, les voisins avaient entendu l'ivrogne insultant sa femme.

....

b. On a arrêté deux employés emportant de la marchandise.

....

c. Voici une photo du président jouant au golf avec des amis.

....

d. Les gardiens de la prison l'ont vu tentant de s'échapper par le toit du bâtiment principal.

....
....

e. Je le rencontrais souvent faisant sa promenade le long de la rivière.

....

f. Dans ce tableau, il a peint les paysans rentrant des champs après une dure journée de travail.

....
....

89 *Transformez les phrases en utilisant le participe présent :*

a. Nous avons rencontré Jeanne au moment où elle sortait de l'école.

....

b. C'est une photo de Sylvie en train de souffler les bougies de son premier gâteau d'anniversaire.

....

c. Quand elle entra dans la maison tout était silencieux ; elle s'approcha de la chambre des enfants et elle les surprit en train de peindre en rouge et jaune les murs de la pièce.

....

....

d. Hier nous sommes allés à la fête foraine ; j'ai pris une photo d'un saltimbanque quand il crachait du feu.

....

e. Je garderai longtemps le souvenir de mon grand-père quand il jouait du piano le soir après le dîner.

....

90 *À vous ! Fabriquez quatre phrases sur le modèle de l'exercice précédent ; Attention : vous devez utiliser deux sujets et deux verbes.*

3 Le participe présent remplace *comme*

91 *Lisez, observez la transformation...*

a. Les enfants **commençant** à s'agiter, la monitrice les emmena au jardin.
→ Comme les enfants commençaient à s'agiter, la monitrice les emmena au jardin.

b. **Étant** seule, je n'ai pas besoin d'un si grand appartement.
→ Comme je suis seule, je n'ai pas besoin d'un si grand appartement.

► Quand le participe présent remplace **comme** (relation de cause / conséquence), les deux verbes peuvent avoir deux sujets différents (phrase a), ou le même sujet (phrase b).

... puis faites les transformations vous-même en utilisant le participe présent ou comme selon les exemples proposés :

a. L'orage se mettant à gronder, ils coururent jusqu'à la voiture.

....

b. Comme les salles de classe seront occupées durant la période des examens, une salle dans l'autre bâtiment sera mise à votre disposition pour la réunion du mardi.

....

....

....

c. Noël approchant, les enfants ne parlaient que des cadeaux qu'ils allaient recevoir.

....

....

d. Comme le photographe vient à l'école ce matin, elle a mis sa plus jolie robe.

....

....

e. Madame Delrieux ayant été absente le jeudi 6 avril, un cours de remplacement aura lieu le 14 avril de 14 heures à 16 heures en salle 360.

....

....

f. Comme nous avons reçu votre demande très tard, il est impossible de vous réserver des places à la date que vous avez demandée.

....

....

92 *Transformez en utilisant le participe présent ou comme selon les exemples proposés ici il y a un seul sujet) :*

a. «La cigale ayant chanté tout l'été se trouva fort dépourvu quand l'hiver fut venu.»
JEAN DE LA FONTAINE.

....

....

b. Comme elle n'avait pas compris la leçon, elle demanda au professeur de la lui expliquer.

....

....

c. Ma fille n'ayant pas su que le cours de mathématiques était reporté au samedi matin, elle n'était pas en cours ce matin-là; je vous prie de bien vouloir l'en excuser.

....

....

d. Comme elle ne connaissait pas bien cette région, elle avait demandé à un guide de l'accompagner.

....

e. Étant né le 3 janvier 1960, je ne peux pas m'inscrire cette année; seuls ceux qui sont nés en 1959 peuvent le faire.

....

....

1. LE PARTICIPE PRÉSENT S'UTILISE À L'ÉCRIT DANS LA PHRASE COMPLEXE POUR ÉVITER UN VERBE CONJUGUÉ.

● **Il remplace *la relative avec qui*.**

EXEMPLE : Vous trouverez ci-joint les documents concernant votre prochain voyage.
(= qui concernent votre prochain voyage.)

● **Il remplace *au moment où, quand, lorsque, être en train de*.**

EXEMPLE : Photo du président jouant au golf.
(= en train de jouer au golf, quand/lorsqu'il joue au golf, au moment où il joue au golf.)

● **Il remplace *comme*, relation de cause qui met la cause en valeur.**

EXEMPLES : Le chien hurlant dans le jardin, il sortit pour voir ce qui se passait.
(= Comme le chien hurlait dans le jardin, il sortit pour voir ce qui se passait.)

Ne pouvant me déplacer pour des raisons de santé, je vous serais très reconnaissant de bien vouloir m'envoyer les documents à signer.
(= Comme je ne peux pas me déplacer pour des raisons de santé, je vous serais reconnaissant de bien vouloir m'envoyer les documents à signer.)

2. LE PARTICIPE PRÉSENT PERMET DE «SERRER» LES ÉLÉMENTS DE LA PHRASE EN ÉVITANT L'EMPLOI DES TEMPS. IL CARACTÉRISE LE STYLE SOIGNÉ, LITTÉRAIRE NOTAMMENT, ET LE STYLE ADMINISTRATIF.

GRAMMAIRE

II. Le gérondif

A. Formation et emplois

93 *Lisez, observez les formes mises en valeur et les transformations...*

a. Je l'ai croisé **en passant** devant la poste.

Je l'ai croisé au moment où je passais devant la poste.

b. Complétez les phrases **en utilisant** les pronoms qui conviennent.

Complétez les phrases ; utilisez les pronoms qui conviennent.

c. **En partant** un peu plus tôt on évitera les embouteillages.

Si on part un peu plus tôt on évitera les embouteillages.

d. **En mettant** de côté un peu d'argent tous les mois, tu pourrais acheter une petite voiture.

Si tu mettais de côté un peu d'argent tous les mois, tu pourrais acheter une petite voiture.

e. Tout **en étudiant** régulièrement elle n'obtient pas de bons résultats.

Bien qu'elle étudie régulièrement, elle n'obtient pas de bons résultats.

f. Ici à La Flotte-en-Ré, tout **en profitant** du spectacle de la mer, je peux faire du sport.

Ici à La Flotte-en-Ré, je peux faire du sport et profiter du spectacle de la mer en même temps.

... puis répondez aux questions suivantes :

a. Comment forme-t-on le gérondif ? ....
....
....

b. Quelle remarque pouvez-vous faire sur le sujet du gérondif ? ....
....
....

94 *Transformez les phrases en utilisant* le gérondif *ou* au moment où, lorsque, quand, dès que *selon les exemples proposés :*

a. Téléphone-moi en arrivant à l'aéroport !

....

b. N'oubliez pas de tourner à droite quand vous arriverez au croisement.

....

c. Voulez-vous refermer la porte en sortant ?

....

d. Nous sommes passés chez Martine en allant au marché.

....

e. Serrez le ventre quand vous expirez et gonflez-le quand vous inspirez !

....!

95 *Reliez les deux phrases en utilisant* le gérondif *comme dans l'exemple (a) :*

a. Elle est tombée dans la cour ; elle courait. Elle est tombée dans la cour en courant.

b. Il a beaucoup minci ; il a supprimé le pain et le sucre.

....

c. Il s'est blessé au visage ; il était en train de se raser.

....

d. Il s'est cassé une jambe ; il faisait du ski hors piste.

....

e. Il a eu un accident ; il voulait éviter une vieille dame qui traversait la rue.

....

96 *Transformez les phrases en utilisant* le gérondif *ou* si... + conditionnel / futur *selon les exemples proposés :*

a. Tu pourras me joindre au bureau en m'appelant avant midi.

....

b. Si tu mettais tes lunettes pour lire, tu aurais moins mal à la tête.

....

c. En te levant un peu plus tôt le matin, tu aurais le temps de déjeuner.

....

d. Si vous preniez le métro, vous n'arriveriez pas tous les jours en retard.

....

e. Si tu lui écris aujourd'hui, tu recevras une réponse avant la fin de la semaine.

....

97 *Transformez les phrases en utilisant* tout + gérondif *ou* bien que / même si / quand même *selon les exemples proposés:*

a. Tout en faisant très attention, nous n'arrivons pas à mettre de l'argent de côté.

....

b. Je peux profiter de la vie culturelle à Paris même si j'habite en banlieue.

....

c. Il se révolte contre l'autorité de ses parents mais il admet quand même qu'ils ont raison.

....

d. Elle continue de grossir tout en mangeant très peu.

....

e. Elle élève quatre enfants tout en travaillant cinq heures par jour.

....

B. L'effacement de «en»

98 *Lisez, observez l'effacement de* en *dans l'emploi du gérondif...*

L'océan vient se briser, **apportant** avec lui algues et coquillages.

= L'océan vient se briser en apportant avec lui algues et coquillages.

► Cette construction (gérondif sans **en**) est possible quand **et** est sous-entendu:
(= L'océan vient se briser **et** apporte avec lui algues et coquillages).
L'emploi est très fréquent dans le style littéraire et très soigné.

... puis transformez les éléments mis en valeur comme dans l'exemple (a). Notez l'emploi de la virgule avant le gérondif :

a. Il se pencha sur celle qu'il aimait **et lui couvrit** les mains de baisers.
Il se pencha sur celle qu'il aimait, lui couvrant les mains de baisers.

b. Je descendis dans le jardin **et je l'appelai** de toutes mes forces.

....

c. L'ouragan s'engouffrait dans le petit vallon d'Yport, sifflait et gémissait **et il arrachait** les ardoises des toits, **brisait** les auvents, **abattait** les cheminées, **lançait** dans les rues de telles poussées de vent... GUY DE MAUPASSANT

....

....

....

d. Chaque coup de tonnerre me faisait sursauter **et doublait** les battements de mon cœur.

....

e. La pluie a frappé toute la journée, **elle a abattu** des arbres, **détruit** la récolte, **ravagé** les champs de blé.

....

....

f. Une jeune fille, un grand châle marron jeté sur les épaules, tournait le dos ; **elle jouait** au piano une valse de Schubert.

....

....

99 *Transformez les éléments mis en valeur comme dans l'exercice précédent, le texte aura alors un caractère plus littéraire :*

PLAISIR DU VOYAGE — LE VAL DE LOIRE

Venez voyager avec nous dans le Val de Loire. Le fleuve est lent et doux. Des bateliers du Val autrefois vivaient là, **ils** y **entreposaient** leurs vins et **cultivaient** des champignons. Aujourd'hui les grands châteaux semblent admirer la Loire paisible dans son lit. De Chambord à Chinon, elle et d'autres cours d'eau traversent des villes, **ils arrosent** et **enracinent** dans leurs eaux les plus belles demeures royales.

100 *À vous ! Écrivez — en utilisant le gérondif avec effacement du en — de petits articles pour une revue de tourisme dans lesquels vous faites la description :*

- d'une région de votre pays particulièrement pittoresque.
- d'une ville de votre pays que vous aimez beaucoup.
- d'un quartier de votre ville qui vous semble très intéressant.

101 *Lisez ces formules de politesse dans la correspondance administrative, observez les emplois du gérondif...*

«**En** vous **remerciant** à l'avance, je vous prie d'agréer, Monsieur le Directeur, l'assurance de mes sentiments distingués.»

«**Espérant** recevoir prochainement une lettre de l'avocat, et vous **remerciant** à l'avance, je vous prie d'agréer, Monsieur, l'assurance de ma considération distinguée.»

... puis comparez-les :

....

102 *Effacez le en du gérondif dans les lettres suivantes, le style sera alors plus soigné :*

a. «En vous remerciant par avance, je vous prie de croire, Monsieur, à l'assurance de mes sentiments distingués.»

....
....

b. «En espérant bien vivement que votre réponse sera favorable, je vous prie d'agréer, Monsieur le Directeur, l'expression de ma considération distinguée.»

....
....

c. «En attendant une réponse favorable de votre part, je vous prie de croire, Madame, à l'assurance de mes sentiments distingués.

....
....

103 *À vous! Écrivez des formules de politesse en utilisant le gérondif.*

1. LE GÉRONDIF **EN** + ...-ANT S'EMPLOIE POUR EXPRIMER UNE ACTION QUI A LIEU EN MÊME TEMPS QU'UNE AUTRE ACTION ET QUAND **LE SUJET** EST **LE MÊME** POUR LES DEUX VERBES

EXEMPLES: Il s'est fait mal en tombant.
Il est tombé. Il s'est fait mal.

2. LE GÉRONDIF PEUT EXPRIMER:

● **la simultanéité simple**

EXEMPLE: Ne parle pas en mangeant
(= quand tu manges)

● **la manière ou la cause**

EXEMPLE: J'ai terminé ce travail en travaillant une partie de la nuit
(= parce que j'ai travaillé une partie de la nuit).

● **la condition / l'hypothèse**

EXEMPLE: En faisant ça, tu prends des risques
(= si tu fais ça, tu prends des risques).

● **la condition / la restriction**

EXEMPLE: Tout en prenant le maximum de précaution, on a quelquefois des surprises
(= même si on prend le maximum de précautions, on a quelquefois des surprises / bien qu'on prenne le maximum de précautions, on a quelquefois des surprises.)

3. LE GÉRONDIF PEUT S'EMPLOYER SANS **EN** DANS LE STYLE LITTÉRAIRE ET ADMINISTRATIF.

Il remplace la coordination des deux verbes avec **et**; il se place:
● soit après une virgule

EXEMPLE: Nous tournions sur les manèges, riant et chahutant comme des enfants.

● soit en tête de phrase

Pleurant à chaudes larmes, elle expliqua sa mésaventure.
Espérant recevoir une réponse favorable, je vous prie d'agréer, Monsieur, l'expression de mes sentiments distingués.

GRAMMAIRE

I. La fiction

104 *Lisez, observez la valeur du conditionnel...*

> La vie, là, **serait** facile, **serait** simple. Toutes les obligations, tous les problèmes qu'implique la vie matérielle **trouveraient** une solution naturelle. Une femme de ménage **serait** là chaque matin. [...]
>
> Georges PEREC, *Les Choses*, René Julliard, 1965.

... puis complétez avec les verbes proposés au conditionnel et vous découvrirez la suite du texte dans lequel l'auteur décrit un style de vie idéale. **(Voir conjugaison du conditionnel, Exercices d'apprentissage 1, pages 89-91.)**

[...] On . . . . livrer, chaque quinzaine, le vin, l'huile, le sucre.	venir
Il y . . . . une cuisine vaste et claire, avec des carreaux bleus	avoir
armoriés, trois assiettes de faïence décorées d'arabesques jaunes, à	
reflets métalliques, des placards partout, une belle table de bois blanc	
au centre, des tabourets, des bancs. Il . . . . agréable de venir	être
s'y asseoir, chaque matin, après une douche, à peine habillé. Il y	
. . . . sur la table un gros beurrier de grès, des pots de	avoir
marmelade, du miel, des toasts, des pamplemousses coupés en deux.	
Il . . . . tôt. Ce . . . . le début d'une longue journée	être / être
de mai.	
Ils . . . . leur courrier, ils . . . . les journaux. Ils	décacheter / ouvrir
. . . . une première cigarette. Ils . . . . Leur travail	allumer / sortir
ne les . . . . que quelques heures, le matin. Ils	retenir / se retrouver
pour déjeuner, d'un sandwich ou d'une grillade, selon leur humeur : ils	
. . . . un café à une terrasse, puis . . . . chez eux,	prendre / rentrer
à pied, lentement.	
Leur appartement . . . . rarement en ordre mais son désordre	être
même . . . . son plus grand charme. Ils . . . . à	être / s'en occuper
peine : ils . . . . Le confort ambiant leur . . . . un fait	vivre / sembler

acquis, une donnée initiale, un état de leur nature. Leur vigilance

.... ailleurs: dans le livre qu'ils ...., dans le texte   être / ouvre

qu'ils ...., dans le disque qu'ils ...., dans leur   écrire / écouter

dialogue chaque jour renoué. Ils .... longtemps. Puis ils   travailler

.... ou .... dîner; ils .... leurs amis;   dîner/sortir/retrouver

ils .... ensemble.   se promener

GEORGES PEREC, *Les Choses,* René Julliard, 1965.

105 *À vous! Écrivez un petit texte dans lequel vous décrirez un style de vie idéal*

II. La condition, l'hypothèse, l'éventualité

A. Avec *si*

106 *Lisez, observez l'emploi de* **si** + *imparfait...*

Si tu me le demandais, je te **suivrais** partout. ▶ **Si** + imparfait + conditionnel L'action dépend d'une condition.	je t'**attendrais** nuit et jour si tu le voulais. ▶ conditionnel + **si** + imparfait

... et complétez les phrases:

a. Si nous étions des extraterrestres, ...

b. Je m'offrirais un voyage autour du monde ....

c. Si dans le ciel le soleil était une grosse boule verte, ...

d. Si elle avait les yeux gris, ...

e. On pourrait prendre le train de 18 h ....

f. Si au lieu d'avoir une grande sœur j'avais un très jeune frère ....
....

g. Si j'étais toi ....

h. Que .... si tu habitais
en France ? : ....

107 *À vous !*
1° Que feriez-vous si vous deviez faire visiter votre ville et votre région à un(e) ami(e) français(e) ?
2° Refaites le monde avec des « si » comme dans l'exemple :

Si demain je devenais ministre de l'Éducation nationale, je supprimerais les examens.

B. Avec sans / avec + *nom*, sinon, en + ...ant, au cas où

108 *Lisez ces phrases, observez l'emploi du conditionnel et la transformation...*

a. **Sans** bourse, il ne **pourrait** pas continuer ses études.
➤ S'il ne recevait pas de bourse, il ne pourrait pas continuer ses études.

b. **Avec** une politique commune, nous **pourrions** sauver cette région du globe.
➤ Si nous avions une politique commune, nous pourrions sauver cette région du globe.

c. Votre dossier doit nous parvenir avant le 20 avril, **sinon** vous ne **pourriez** pas vous présenter à l'examen en septembre.
➤ Si votre dossier ne nous parvenait pas avant le 20 avril, vous ne pourriez pas vous présenter à l'examen en septembre.

d. **En réduisant** le prix des billets de cinéma, on **encouragerait** les gens à y aller plus souvent.
➤ Si on réduisait le prix des billets de cinéma, on encouragerait les gens à y aller plus souvent.

e. Message : « Nous nous absenterons du vendredi 14 au dimanche 23 ; **au cas où** vous **passeriez** en notre absence, vous **trouveriez** les clés chez la gardienne.
➤ ... si vous passiez en notre absence vous trouveriez les clés chez la gardienne.

**puis transformez les phrases proposées :**

Sans + nom

a. Dans la crise difficile qu'elle traverse elle échouerait si ses amis ne l'aidaient pas.

....

b. Si la mairie de la ville ne nous avait pas donné de subvention, nous n'aurions pas pu monter ce spectacle.

....

Avec + nom

c. S'ils faisaient quelques efforts tout pourrait s'arranger.

....

d. Si le vent était favorable on pourrait faire la traversée en 24 heures.

....

Sinon

e. Nous espérons qu'il acceptera notre proposition ; s'il ne l'acceptait pas, nous serions obligés de chercher un autre candidat.

....

f. On pense que les grèves dans les aéroports s'arrêteront à la fin de la semaine ; si elles continuaient on prendrait le train.

....

En + ...ant

g. Si on fixait l'âge de la retraite à cinquante-cinq ans, on créerait des emplois pour les jeunes et on réduirait le chômage.

....

h. Si vous partiez très tôt le matin, vous éviteriez les embouteillages.

....

Au cas où

i. «Que feriez-vous si on vous proposait de partir à l'étranger pour trois ans ?

....

j. Si vous aviez besoin de me contacter, vous pourriez laisser un message chez mes parents.

....

109 *Reliez par une flèche les morceaux de phrases qui vont ensemble, et écrivez la phrase complète comme dans l'exemple donné :*

En insistant un peu ●	● prenez un taxi
Avec un effort supplémentaire ●	● j'aurais mal au dos
Sans l'aide de ses parents ●	● elle réussirait à le convaincre
La voiture doit être prête demain ●	● il obtiendrait son diplôme
Sans soins quotidiens ●	● sinon je serais obligé de prendre le train
Au cas où il n'y aurait plus de bus ●	● il ne pourrait pas louer d'appartement

110 *À vous ! Trouvez des exemples avec* sans / avec / sinon / en + ...ant / au cas où *et faites pour chaque exemple la transformation comme dans l'exercice 109 ?...*

III. Information donnée avec précaution

111 *Lisez ces nouvelles, observez la valeur du conditionnel...*

> a. *Inondations dans le sud de la France*
>
> Il y **aurait** plusieurs centaines de familles sans abri.
>
> b. *Inter-France bonjour !*
>
> Incendies de forêt en Corse : des milliers d'hectares **seraient** détruits. Le bilan de la catastrophe sur place avec Thierry Lelong.
>
> c. *Enquête*
>
> D'après notre sondage, les Français aiment vivre seuls ; d'ici à l'an 2000, le nombre des personnes vivant seules **augmenterait** deux fois plus vite que celui des ménages.

... puis dites comme dans l'exemple (a) ce que le conditionnel exprime :

a. Il y aurait plusieurs centaines de familles sans abri = on pense que plusieurs centaines de familles sont sans abri mais cela n'a pas été vérifié, prouvé.

b. ....
....

c. ....
....

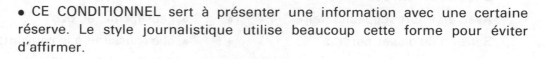

GRAMMAIRE

● CE CONDITIONNEL sert à présenter une information avec une certaine réserve. Le style journalistique utilise beaucoup cette forme pour éviter d'affirmer.

EXEMPLE : «Le Premier ministre démissionnerait»
= (il y a une rumeur mais il n'a pas présenté sa démission officiellement.)

● Cette forme se rencontre aussi dans des situations de la vie courante :

EXEMPLE : La direction nous donnerait deux jours de vacances
= (c'est une rumeur, nous n'avons pas été informés officiellement.)

112 *À vous ! Fabriquez des informations données avec précaution.*

IV. Proposition, conseil, reproche, obligation, prévision

113 *Lisez ces mini-situations et dites si le conditionnel accompagne l'expression d'une proposition, d'un conseil, d'un reproche, d'une obligation ou d'une prévision comme dans les exemples (a), (b), (c), (d) et (e) :*

a. Qu'est-ce qu'on va faire pour l'anniversaire de Julie ?

— On **pourrait** organiser une soirée dansante ?

☒ proposition ☐ conseil ☐ reproche ☐ obligation ☐ prévision

b. Je suis fatigué, pourtant j'ai encore un dossier à revoir pour demain !

— À mon avis, tu **ferais mieux** d'aller dormir, il est tard.

☐ proposition ☒ conseil ☐ reproche ☐ obligation ☐ prévision

c. Quel désordre ! Tu exagères ! Tu **pourrais** faire un effort et ranger ta chambre !

☐ proposition ☐ conseil ☒ reproche ☐ obligation ☐ prévision

d. J'ai lu avec intérêt votre article sur la réforme de la justice. Il **faudrait** faire une réforme définitive et rapide, je suis d'accord avec vous...

☐ proposition ☐ conseil ☐ reproche ☒ obligation ☐ prévision

e. Avant son départ il a dit qu'il arriverait dimanche prochain. Il **devrait** donc être ici à 17 heures.

☐ proposition ☐ conseil ☐ reproche ☐ obligation ☒ prévision

f. Vous n'auriez pas envie d'aller voir le dernier film de Depardieu?

☐ proposition ☐ conseil ☐ reproche ☐ obligation ☐ prévision

g. Monsieur, vous pourriez faire attention où vous marchez, vous m'avez écrasé le pied!

☐ proposition ☐ conseil ☐ reproche ☐ obligation ☐ prévision

h. Avant d'aller dormir tu devrais prendre un bain chaud pour te détendre.

☐ proposition ☐ conseil ☐ reproche ☐ obligation ☐ prévision

i. Je crois que nous devrions réfléchir au problème dans son ensemble.

☐ proposition ☐ conseil ☐ reproche ☐ obligation ☐ prévision

j. Son dossier est excellent; il devrait être accepté.

☐ proposition ☐ conseil ☐ reproche ☐ obligation ☐ prévision

k. Au lieu de parler d'un seul aspect de cette réforme, il conviendrait de l'envisager dans sa totalité.

☐ proposition ☐ conseil ☐ reproche ☐ obligation ☐ prévision

l. Il vaudrait mieux y aller en voiture, ce sera plus agréable.

☐ proposition ☐ conseil ☐ reproche ☐ obligation ☐ prévision

m. Une partie de tennis dimanche, ça te dirait?

☐ proposition ☐ conseil ☐ reproche ☐ obligation ☐ prévision

n. J'ai envoyé une lettre il y a une semaine; je devrais recevoir une réponse demain.

☐ proposition ☐ conseil ☐ reproche ☐ obligation ☐ prévision

o. Est-ce que cela vous ferait plaisir d'aller dîner dans un restaurant indien?

☐ proposition ☐ conseil ☐ reproche ☐ obligation ☐ prévision

p. Si j'étais à ta place, je partirais demain matin très tôt.

☐ proposition ☐ conseil ☐ reproche ☐ obligation ☐ prévision

q. Vous ne voudriez pas aller voir cette pièce de Marivaux! Les critiques sont mauvaises.

☐ proposition ☐ conseil ☐ reproche ☐ obligation ☐ prévision

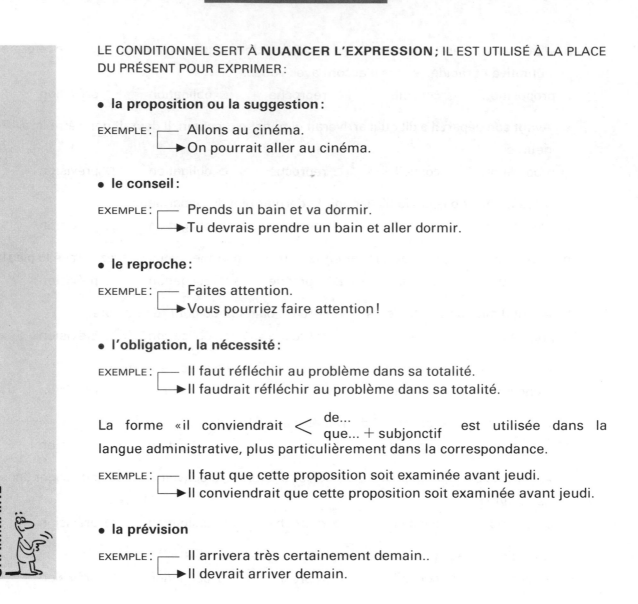

LE CONDITIONNEL SERT À **NUANCER L'EXPRESSION**; IL EST UTILISÉ À LA PLACE DU PRÉSENT POUR EXPRIMER:

- **la proposition ou la suggestion:**

EXEMPLE: ┌── Allons au cinéma.
         └──► On pourrait aller au cinéma.

- **le conseil:**

EXEMPLE: ┌── Prends un bain et va dormir.
         └──► Tu devrais prendre un bain et aller dormir.

- **le reproche:**

EXEMPLE: ┌── Faites attention.
         └──► Vous pourriez faire attention!

- **l'obligation, la nécessité:**

EXEMPLE: ┌── Il faut réfléchir au problème dans sa totalité.
         └──► Il faudrait réfléchir au problème dans sa totalité.

La forme «il conviendrait $<$ de... que... + subjonctif $>$ est utilisée dans la langue administrative, plus particulièrement dans la correspondance.

EXEMPLE: ┌── Il faut que cette proposition soit examinée avant jeudi.
         └──► Il conviendrait que cette proposition soit examinée avant jeudi.

- **la prévision**

EXEMPLE: ┌── Il arrivera très certainement demain..
         └──► Il devrait arriver demain.

GRAMMAIRE

---

114 *À vous! Utilisez les différentes valeurs du conditionnel en écrivant:*

a. Une lettre à un ami dans laquelle vous lui donnez des conseils avant d'entreprendre un voyage dans votre pays.

b. Des propositions de projets à des amis avec qui vous allez partir en vacances: itinéraires, hébergement, etc.

c. Un article dans une revue dans lequel vous exprimez la nécessité d'agir sur un thème de votre choix: pollution, examens, compétitions sportives, drogue, etc.

d. Des reproches à un ami ou un parent qui est en train de faire quelque chose qui ne vous plaît pas.

V. Concordance des temps dans la construction verbe + *que*

115 *Utilisez le conditionnel pour faire la concordance comme dans l'exemple (a) :*

a. Alors, nous te verrons samedi chez Florian ?

— Non, je n'**irai** pas.

— Pourtant Tristan **m'a dit** que tu **irais**.

b. Tu passes le concours en juillet ?

— Non, je le passerai en septembre.

— Mais la dernière fois que nous nous sommes vus, tu m'as dit que . . . .

. . . .

c. Quand recevrai-je une réponse ?

— Fin juillet.

— Pourtant la direction m'avait assuré que . . . .

. . . .

d. Danielle nous emmène au cinéma ?

— Je ne pense pas.

— Je ne comprends pas ! Hier, elle nous a promis qu'elle . . . .

. . . .

e. Il est 8 heures, papa va arriver ?

— Non, il a un empêchement. Il rentrera tard.

— Il ne tient jamais ses promesses ! Ce matin avant de partir . . . .

. . . .

116 *À vous ! Un de vos amis vient de vous téléphoner pour vous annoncer un changement de programme : vous alliez partir ensemble en vacances mais quelqu'un doit venir lui rendre visite bientôt et il ne peut plus partir avec vous. Vous êtes très déçu et vous écrivez à quelqu'un pour lui raconter votre histoire.*

«Nous allions partir en Italie à la fin du mois. Il m'avait dit que . . . .

. . . .

I. Conjugaison du subjonctif présent

117 *Lisez, observez...*

> Pour le Premier de l'An, tante Marinette nous a envoyé une carte avec ses vœux pour chacun de nous :
> — **que** Fabrice **travaille** bien à l'école,
> — **qu'**Anabelle **rencontre** un amoureux,
> — **que** les affaires de papa **marchent** bien,
> — **que** maman **soit** en bonne forme,
> — **que** grand-mère n'**ait** plus de douleurs aux jambes,
> — et **que** moi, je **finisse** mon roman et **connaisse** un grand succès,
> — enfin, **que** nous **soyons** tous très heureux et **que** nous n'**oubliions** pas d'aller la voir de temps en temps.

... puis relevez les verbes qui ont la même forme qu'au présent, ceux qui ont une forme différente du présent et notez leur infinitif :

. . . .

. . . .

A. Cas des verbes en -er

118 *Observez, apprenez les formes du subjonctif présent*

ACCEPTER

Il faut que j'	ACCEPT-e	que nous	ACCEPT-i-ons
que tu	ACCEPT-es	que vous	ACCEPT-i-ez
qu'il qu'elle qu'on	ACCEPT-e	▶ -i- marque le subjonctif aux formes de «nous» et «vous».	
qu'ils qu'elles	ACCEPT-ent		

▶ conjugaison identique à celle du présent.

CRIER

Il ne faut pas que je	CRI-e	que nous CRI-i-ons
que tu	CRI-es	que vous CRI-i-ez
qu'il qu'elle qu'on	CRI-e	▶ «que nous criions», «que vous criiez»: «i» du verbe + «i» du subjonctif.
qu'ils qu'elles	CRI-ent	

ESSAYER

Il faut que j'	ESSAI-e	que nous ESSAY-i-ons
que tu	ESSAI-es	que vous ESSAY-i-ez
qu'il qu'elle qu'on	ESSAI-e	▶ «que nous essayions», «que vous essayiez»: «y» du verbe + «i» du subjonctif.
qu'ils qu'elles	ESSAI-ent	

... et complétez avec les verbes proposés: notez les verbes ou mots de relation mis en valeur qui exigent l'emploi du subjonctif:

a. **Il faut que** j'y ....!   arriver

b. Nous pouvons l'employer **à condition qu'**il .... l'espagnol.   parler

c. Elle **veut que** nous .... un gâteau.   apporter

d. Il a dit ça **pour qu'**on le .... tranquille!   laisser

e. Le professeur d'économie **exige que** nous .... des statistiques sur le chômage des jeunes pour demain!   trouver

f. **Il faudrait que** vous .... le pantalon.   essayer

g. Je lui ai donné de l'argent **pour qu'**il s'............. des disques.   acheter

h. **Pour qu'**il se ...., **il suffit que** vous .... plus fort que lui!   calmer / crier

i. **Il faut que** nous .... tout minutieusement!   vérifier

j. **Bien que** vous l'...................... personnellement, reconnaissez que son travail est mauvais!   apprécier

B. Cas des autres verbes
(sauf *être, avoir, aller, valoir, vouloir, pouvoir, faire, savoir, pleuvoir, falloir*.)

119 *Observez et apprenez les formes du subjonctif présent par rapport au présent...*

PARTIR

Présent :	ils/elles	PART-ent	nous	PART-ons
		↓	vous	PART-ez
				↓
Subjonctif :	que je	PART-e	que nous	PART-i-ons
	que tu	PART-es	que vous	PART-i-ez
	qu'il qu'elle } qu'on	PART-e		
	qu'ils } qu'elles	PART-ent		

BOIRE

Présent :	ils/elles	BOIV-ent	nous	BUV-ons
		↓	vous	BUV-ez
				↓
Subjonctif :	que je	BOIV-e	que nous	BUV-i-ons
	que tu	BOIV-es	que vous	BUV-i-ez
	qu'il qu'elle } qu'on	BOIV-e		
	qu'ils } qu'elles	BOIV-ent		

VENIR

Présent :	ils/elles	VIENN-ent	nous	VEN-ons
		↓	vous	VEN-ez
				↓
Subjonctif :	que je	VIENN-e	que nous	VEN-i-ons
	que tu	VIENN-es	que vous	VEN-i-ez
	qu'il qu'elle } qu'on	VIENN-e		
	qu'ils } qu'elles	VIENN-ent		

... puis complétez comme dans l'exemple (a). Notez bien les verbes ou expressions verbales mises en valeur qui exigent l'emploi du subjonctif.

a. Ils apprennent l'anglais, **il faut que** tu l'apprennes aussi !

b. S'ils mettent un chapeau, **il sera nécessaire que** j'en .... un !

c. Alors, les enfants, vous venez, oui ou non ? Je **veux que** vous .... tout de suite !

d. Vous vous plaisez en France ? Je **souhaite que** vous vous y .... longtemps.

e. Oui, nous vendons la maison de Normandie. **Il faut que** nous la .... pour régler des questions d'héritage.

f. Chut, les enfants dorment et je **voudrais bien qu'**ils .... encore un bon moment !

g. Tes deux cousines finissent leurs études cette année. Je **serais heureuse que** tu les .... aussi !

h. Nous repeignons notre façade en ce moment. Avec les pluies tropicales, il **faut** absolument **que** nous la .... tous les deux ans.

i. Vous connaissez le sculpteur Arman ? Allons le voir ensemble dimanche ; j'**aimerais bien que** vous le ....

j. Les gens conduisent lentement ici ; je **rêve que** tu .... comme eux !

C. Cas des verbes *être, avoir, aller, valoir, falloir, vouloir, faire, savoir, pouvoir, pleuvoir*

120 *Observez, apprenez...*

ÊTRE

que je	SOIS	que nous	SOYONS
que tu	SOIS	que vous	SOYEZ
qu'il qu'elle qu'on	SOIT		
qu'ils qu'elles	SOIENT		

AVOIR

que j'	AIE	que nous	AYONS
que tu	AIES	que vous	AYEZ
qu'il qu'elle qu'on	AIT		
qu'ils qu'elles	AIENT		

ALLER

que j'	AILLE	que nous	ALLIONS
que tu	AILLES	que vous	ALLIEZ

qu'il
qu'elle } AILLE
qu'on

qu'ils
qu'elles } AILLENT

VALOIR

que je	VAILLE	que nous	VALIONS
que tu	VAILLES	que vous	VALIEZ

qu'il
qu'elle } VAILLE
qu'on

qu'ils
qu'elles } VAILLENT

FALLOIR

qu'il	FAILLE

VOULOIR

que je	VEUILLE	que nous	VOULIONS
que tu	VEUILLES	que vous	VOULIEZ

qu'il
qu'elle } VEUILLE
qu'on

qu'ils
qu'elles } VEUILLENT

FAIRE

que je	FASSE	que nous	FASSIONS
que tu	FASSES	que vous	FASSIEZ

qu'il
qu'elle } FASSE
qu'on

qu'ils
qu'elles } FASSENT

SAVOIR

que je	SACHE	que nous	SACHIONS
que tu	SACHES	que vous	SACHIEZ

qu'il
qu'elle } SACHE
qu'on

qu'ils
qu'elles } SACHENT

POUVOIR

que je	PUISSE	que nous	PUISSIONS
que tu	PUISSES	que vous	PUISSIEZ

qu'il
qu'elle } PUISSE
qu'on

qu'ils
qu'elles } PUISSENT

PLEUVOIR

qu'il	PLEUVE

... et complétez avec les verbes proposés au subjonctif. Notez bien les verbes, expressions verbales ou mots de relation mis en valeur qui exigent l'emploi du subjonctif :

a. Je **ne crois pas qu'**il .... aujourd'hui !   pleuvoir

b. **Il faut que** tu .... raisonnable ! être

c. Elle viendra **à condition que** ses enfants .... l'accompa- pouvoir
gner.

d. **Il est nécessaire que** vous .... conduire. savoir

e. Je **regrette qu'**il .... si froid ! faire

f. Cette assurance accident-maladie vous couvre **où que** vous
.... être

g. Où **veux**-tu **que** j'............? aller

h. Il a tout organisé **sans que** personne n'en .... rien ! savoir

i. Elle a eu un petit malaise mais je **ne pense pas qu'**il .... falloir
s'inquiéter.

j. **Je regrette que** tu .... sortir. ne pas pouvoir

k. Si vous voulez venir, venez ! **Il suffit que** je le .... deux savoir
ou trois jours à l'avance.

l. Faire un si long voyage, **il faut que** ça .... la peine ! valoir

m. Eh bien, la réunion est terminée, **à moins qu'**il n'y .... avoir
encore une question ?

n. **L'idéal serait que** vous .... passer un mois de vacances aller
à la montagne.

o. Ça m'**étonnerait qu'**il .... y aller ! vouloir

p. Je **ne suis pas sûr que** vous .... raison ! avoir

q. **L'essentiel, c'est qu'**il .... de bêtises ! ne pas faire

... maintenant, relevez dans les trois exercices précédents les éléments + que... qui exigent l'emploi du subjonctif (ce sont les éléments mis en valeur dans les phrases). Classez-les :

VERBES	TOURNURES IMPERSONNELLES	MOTS DE RELATION	AUTRES
vouloir que..	il faut que...	à condition que...	l'idéal serait que...

SCHÉMA DE CONSTRUCTION POUR L'EMPLOI DU SUBJONCTIF:

Élément introducteur + que + verbe au subjonctif

Dans cette construction verbe + que, appelée construction complétive, le verbe est au subjonctif lorsque l'élément introducteur remplit deux conditions.

1re CONDITION:

- C'est un verbe ou une expression verbale ou une tournure impersonnelle qui **exprime une attitude**:

EXEMPLES: je veux que..., on souhaite que..., ils ne permettent pas que..., il a envie que..., nous nous réjouissons que..., il faut que...

Voir la liste que vous venez de faire et la liste proposée dans la *Grammaire vivante du français,* p. 143.

▶ Dans certains cas, le verbe exige l'indicatif quand il est à la forme affirmative:

EXEMPLES: Je pense qu'il viendra.
Je suis sûr qu'il sera intéressé.

et introduit le plus souvent le subjonctif lorsqu'il est à la forme négative:

EXEMPLES: Je ne pense pas qu'il vienne.
Je ne suis pas sûr qu'il soit intéressé.

- C'est un mot de relation qui exprime le but, l'hypothèse, la condition, la concession, la restriction, etc.

EXEMPLES: pour que..., à condition que..., bien que..., pourvu que..., à moins que..., en attendant que..., etc.

Voir la liste que vous venez de faire et la classification des mots de relation dans la *Grammaire vivante du français,* p. 174 à 200.

▶ Dans le style soigné «avant que», «de peur que», «à moins que» sont accompagnés de «ne»; celui-ci disparaît dans le style courant. Ce «ne» d'accompagnement n'exprime pas la négation.

EXEMPLES: Faites-le avant qu'il **ne** soit trop tard.
Il se cacha de peur qu'on **ne** le gronde.
Ne me dérangez pas à moins qu'il **n'**y ait urgence.

- C'est un élément repris par «c'est que», mais «c» peut disparaître.

EXEMPLES: Son ambition, c'est que je sois professeur.
L'essentiel est qu'il soit heureux!

Dans ce type de phrase, on exprime une intention qu'on veut placer sur un plan abstrait; c'est en général une projection dans le futur.

GRAMMAIRE

GRAMMAIRE

2e CONDITION:

La composition étant:

$$\boxed{\text{Verbe 1} + \text{que} + \text{verbe 2}}$$

il faut que le verbe 1 et le verbe 2 aient des sujets différents:

EXEMPLES: **Je** souhaite qu'**il** s'en aille.

Il est nécessaire que **tu** avertisses son père. } le 1er «il» est

qu'**il** avertisse son père } impersonnel

On ira dimanche à condition qu'**il** fasse beau!

Pour que **la télé** marche, **il** faudrait une antenne.

Ce qui est surprenant, c'est que **les gens** ne disent rien!

▶ Quand verbe 1 et verbe 2 ont le même sujet, la construction complétive se transforme en construction infinitive. Voir p. 106.

121 *Transformez comme dans l'exemple (a):*

a. Tiens tes promesses!   Il faut que tu tiennes tes promesses!

b. Écris à tes parents.   ....

c. Va à la banque.   ....

d. Dites la vérité!   ....

e. Soyez sages!   ....

f. Fais tes devoirs!   ....

122 *Répondez comme dans l'exemple (a):*

a. Elle n'a qu'à nous écrire! — C'est vrai ça, qu'elle nous écrive!

b. Ils n'ont qu'à venir! — C'est vrai ....

c. Il n'a qu'à faire son travail! — ....

d. Il n'a qu'à tenir ses promesses! — ....

e. Il n'a qu'à y aller! — ....

f. Ils n'ont qu'à le faire eux-mêmes! — ....

123 *Transformez comme dans l'exemple (a) :*

a. Ah, s'il pouvait pleuvoir !!   J'aimerais tant qu'il pleuve !

b. Ah, s'ils pouvaient venir ! ....

c. Ah, si elle pouvait y aller ! ....

d. Ah, s'il pouvait faire beau ! ....

e. Ah, s'ils pouvaient être là ! ....

f. Ah, si elles pouvaient réussir ! ....

124 *Répondez comme dans l'exemple (a) :*

a. Fais quelque chose ! — Que veux-tu que je fasse ?

b. Dis quelque chose ! — Que ....?

c. Prends quelque chose ! — Que ....?

d. Prépare quelque chose ! — Que ....?

e. Va te promener ! — Où ....?

f. Pars en vacances ! — Où ....?

125 *Complétez comme il vous plaira :*

a. Le temps est trop mauvais pour qu(e) ....

b. Partez avant qu(e) ....

c. J'irai à condition qu(e) ....

d. Tous les soirs, il regarde la télé jusqu'à ce qu(e) ....

e. Elle le suit partout de peur qu(e) ....

f. Nous souhaitons qu(e) ....

g. Ça m'énerve qu(e) ....

h. Nos voisins suggèrent qu(e) ....

i. On se réjouit qu(e) ....

j. Il est indispensable qu(e) ....

k. Ça l'ennuie vraiment qu(e) ....

126 *Complétez comme il vous plaira:*

a. L'idéal, c'est que ....

b. Son ambition, c'est que ....

c. Le pire serait que ....

d. Le but, c'est que ....

e. Le mieux est que ....

f. L'essentiel, c'est que ....

g. Leur idée, c'est que ....

h. Mon rêve serait que ....

II. Le subjonctif passé

127 *Lisez, observez...*

> Bien que leur fils **ait terminé** ses études et qu'il **ait trouvé** un travail, nos amis Leblanc préfèrent continuer à vivre à Paris, près de lui. Ils attendent qu'il **se soit fait** un peu d'argent pour acheter un studio. Moi, je pense qu'ils n'iront pas s'installer dans leur maison de campagne avant qu'il ne **soit marié**. Sa mère me l'avait dit: «Nous resterons à Paris jusqu'à ce que Vincent **soit casé***!»
>
> _____
> * *soit casé:* marié et indépendant.

... et faites le relevé des éléments introducteurs + verbe au subjonctif passé:

GRAMMAIRE

1. LE SUBJONCTIF PASSÉ EST FORMÉ DE :

avoir
ou } au subjonctif présent + participe passé du verbe
être

EXEMPLES : Il faut que vous **ayez fini** avant 5 heures.
Je regrette que la lettre **soit arrivée** trop tard.

2. LE SUBJONCTIF PASSÉ SERT À MARQUER L'ANTÉRIORITÉ DE L'ACTION :

RAPPORT
AVANT ⇄ APRÈS

EXEMPLES : Il a atteint l'âge | Il continue à travailler
de la retraite. |
Bien qu'il **ait atteint** | il continue à travailler.
l'âge de la retraite, |

---

128 *Complétez avec les verbes proposés au subjonctif passé pour marquer l'antériorité de l'action :*

a. Je suis content que vous . . . .   venir

b. Tu resteras ici jusqu'à ce que tu . . . . ta dissertation.   achever

c. Le médecin attend que toutes les analyses . . . .
pour faire le diagnostic.   terminer

d. Nous avons passé un bon week-end bien qu'il . . . .   ne pas faire beau

e. À la fin de l'année, il faudra que vous . . . . tous les livres
au programme. Mettez-vous-y tout de suite !   lire

f. Vous resterez ici jusqu'à ce que le dernier invité . . . .   sortir

g. Je te dis qu'ils ne sont pas chez eux ! À moins qu'ils ne . . . .
. . . . sans prévenir.   rentrer

h. On t'emmène à condition que tu . . . . tous tes exercices.   finir

i. Je n'accepte pas que tu . . . . comme cela à ta
grand-mère, hier !   répondre

j. Quoi qu'il . . . . ou pas fait, il sera jugé.   faire

k. Je ne crois pas que les enfants .... à sortir   déjà
     de l'école.   commencer

129 *Relevez dans l'exercice précédent tous les éléments qui exigent l'emploi du subjonctif :*

Je suis content que...,

III. Le subjonctif imparfait et plus-que-parfait dans la concordance des temps

▶ La concordance des temps avec le subjonctif imparfait et plus-que-parfait ne se fait que dans le style littéraire ou non littéraire recherché. À l'oral et dans le style écrit courant on n'emploie que le subjonctif présent et le subjonctif passé que vous connaissez.
Mais il est utile de savoir reconnaître l'imparfait et le plus-que-parfait du subjonctif pour pouvoir lire des textes littéraires notamment.

A. Conjugaison du subjonctif imparfait

130 *Apprenez la conjugaison à partir du passé simple* * :

■ Conjugaison en [y]

ÊTRE

Passé simple :	je	FUS
Subjonctif imparfait	que je	FUSSE
	que tu	FUSSES
	qu'il qu'elle qu'on	FÛT
	qu'ils qu'elles	FUSSENT
	que nous	FUSSIONS
	que vous	FUSSIEZ

AVOIR

Passé simple :	j'	EUS
Subjonctif imparfait	que j'	EUSSE
	que tu	EUSSES
	qu'il qu'elle qu'on	EÛT
	qu'ils qu'elles	EUSSENT
	que nous	EUSSIONS
	que vous	EUSSIEZ

----

* Voir la conjugaison du passé simple p. 61.

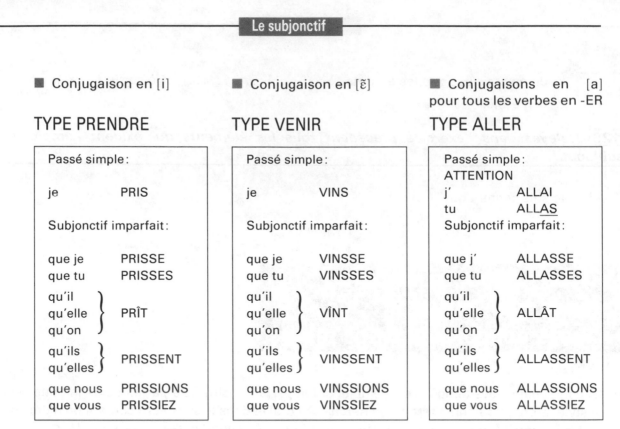

■ Conjugaison en [i]   ■ Conjugaison en [ɛ̃]   ■ Conjugaisons en [a] pour tous les verbes en -ER

TYPE PRENDRE

Passé simple :

je   PRIS

Subjonctif imparfait :

que je   PRISSE
que tu   PRISSES
qu'il / qu'elle / qu'on   PRÎT
qu'ils / qu'elles   PRISSENT
que nous   PRISSIONS
que vous   PRISSIEZ

TYPE VENIR

Passé simple :

je   VINS

Subjonctif imparfait :

que je   VINSSE
que tu   VINSSES
qu'il / qu'elle / qu'on   VÎNT
qu'ils / qu'elles   VINSSENT
que nous   VINSSIONS
que vous   VINSSIEZ

TYPE ALLER

Passé simple :
ATTENTION
j'   ALLAI
tu   ALL<u>AS</u>

Subjonctif imparfait :

que j'   ALLASSE
que tu   ALLASSES
qu'il / qu'elle / qu'on   ALLÂT
qu'ils / qu'elles   ALLASSENT
que nous   ALLASSIONS
que vous   ALLASSIEZ

► *Notez bien l'accent circonflexe (^) avec* il, elle, on.

B. Conjugaison du subjonctif plus-que-parfait

avoir / ou / être } au subjonctif imparfait + participe passé du verbe

131 *Apprenez le subjonctif plus-que-parfait de :*

VENIR

que je   FUSSE VENU(E)
que tu   FUSSES VENU(E)
qu'il / qu'elle / qu'on   FÛT VENU(E)
qu'ils / qu'elles   FUSSENT VENU(E)S
que nous   FUSSIONS VENU(E)S
que vous   FUSSIEZ VENU(E)S

PRENDRE

que j'   EUSSE PRIS
que tu   EUSSES PRIS
qu'il / qu'elle / qu'on   EÛT PRIS
qu'ils / qu'elles   EUSSENT PRIS
que nous   EUSSIONS PRIS
que vous   EUSSIEZ PRIS

NOTEZ LE MÉCANISME DE CONCORDANCE DES TEMPS AVEC LE **SUBJONCTIF IMPARFAIT**:

EXEMPLES: Il **regrette** que sa fille ne lui **ressemble** pas.
Il **regrettait** que sa fille ne lui **ressemblât** pas.

Il **veut** que nous **fassions** le voyage avec lui.
Il **aurait voulu** que nous **fissions** le voyage avec lui.

Il **garde** le secret pour que ses enfants ne **sachent** rien.
Il **garda** le secret pour que ses enfants ne **sussent** rien.

ET AVEC LE **SUBJONCTIF PLUS-QUE-PARFAIT**:

EXEMPLES: Je **souhaite** qu'ils **soient récompensés.**
J'**aurais souhaité** qu'ils **fussent récompensés.**

Il ne **veut** pas partir avant que j'**aie terminé** mes études.
Il ne **voulait** pas partir avant que j'**eusse terminé** mes études.

Il **criera** jusqu'à ce que nous **ayons cédé**!
Il **cria** jusqu'à ce que nous **eussions cédé**!

DANS L'EXPRESSION COURANTE, ON NE RESPECTE PAS CETTE CONCORDANCE DES TEMPS. ON EMPLOIE SEULEMENT LE SUBJONCTIF PRÉSENT:

EXEMPLE: Il **regrettait** que sa fille ne lui **ressemble** pas.

OU LE SUBJONCTIF PASSÉ:

EXEMPLES: Il **n'a pas voulu** partir avant que j'**aie terminé** mes études.
J'**aurais souhaité** qu'ils **soient récompensés**!

GRAMMAIRE

---

132 *Lisez les textes suivants écrits dans un style soigné ou extraits de textes littéraires. Indiquez pour chaque verbe mis en valeur:*
— l'infinitif,
— la forme du subjonctif qu'on utiliserait dans le style courant aujourd'hui comme dans l'exemple (a):

a. Mes parents souffraient que j'**allasse** seul à mes cours de dessin.   aller / que j'aille

b. J'aurais préféré que le rôle principal **fût confié** à un autre acteur. . . . .
Mais je n'ai pas eu le choix!

c. «Dans la demi-obscurité de la passerelle, il se produisit alors une chose très solennelle : sans que le regard **se détournât**, la main de Marino chercha mon bras et s'y posa une seconde.» . . . .

Julien Gracq, Le Rivage des Syrtes (1951) © Éd. Corti.

d. «La vue de la petite madeleine ne m'avait rien rappelé avant que je n'**eusse goûté**... Et dès que j'eus reconnu * le goût du morceau de madeleine trempé dans le tilleul que me donnait ma tante (quoique je ne **susse** pas encore et **dusse** remettre à bien plus tard de découvrir pourquoi ce souvenir me rendait si heureux), aussitôt la vieille maison grise sur la rue, où était sa chambre, vint comme un décor de théâtre... . . . .

. . . .

. . . .

Marcel Proust, Du côté de chez Swann (1913).

* *eus reconnu :* passé antérieur de **reconnaître**.

e. Marguerite de Thérelles allait mourir. Bien qu'elle n'**eût** que cinquante et six ans, elle en paraissait au moins soixante et quinze. . . . .

Guy de Maupassant, Contes du Jour et de la Nuit, «La Confession» (1885).

f. Il était apprécié surtout pour ses critiques de cinéma. Il en souffrait beaucoup... Il aurait voulu être un grand romancier alors que c'est son œuvre marginale qu'on admirait... J'aurais souhaité, moi aussi, qu'il **fût connu** surtout comme un grand romancier.» . . . .

Georges Charensol (journaliste) parlant de Jean-Louis Bory, mort en 1979.
L'Événement du jeudi, 28 mars-3 avril 1991, p. 104.

g. «Midori-san ! appelai-je.
Pourquoi ce cri ? Je l'ignore. Peut-être souhaitais-je qu'elle **vînt** s'asseoir un peu plus longtemps, en face de moi.» . . . .

Le Fusil de chasse, Yasushi Inoué, © Éd. Stock.

C. Emploi particulier du subjonctif imparfait et plus-que-parfait

133 *Observez et notez bien les équivalences...*

On **eût dit** des monstres !
= On **aurait dit** des monstres !

Soudain, elle fit un pas en arrière **comme si elle eût** un pressentiment.
= ... **comme si elle avait** un pressentiment.

... puis donnez vous-même l'équivalent aux formes proposées :

a. Si j'avais su, je leur eusse adressé une protestation.

= ....

b. Nous devions rester tranquilles dans un coin comme si nous eussions été des pièces de musée.

= ....

c. Il m'eût été impossible de rester plus longtemps dans la chambre.

= ....

d. Elle chercha à justifier la disparition du bijou comme si elle en fût responsable.

= ....

GRAMMAIRE

CE SONT DES EMPLOIS PARTICULIERS DANS LE STYLE LITTÉRAIRE :

— à la place du conditionnel présent ou passé :

EXEMPLE : «Elle me disait qu'elle était lasse à mourir, qu'elle vivait dans une solitude affreuse, qu'elle **eût tout donné** pour avoir un mari, n'importe lequel.» (SARTRE)
(= qu'elle aurait tout donné)

► **On eût dit...** est la forme la plus fréquente.

— après **comme si** à la place de l'imparfait ou du plus-que-parfait :

EXEMPLE : «Une ivresse envahit son esprit **comme s'il eût bu.**»

MAUPASSANT

(= comme s'il avait bu)

134 *À vous. Notez les exemples que vous rencontrez si vous lisez des textes littéraires.*

Construction *que* + verbe ou construction infinitive

I. *Que* + verbe au subjonctif ou construction infinitive

A. Verbe 1 construit sans complément d'objet

135 *Lisez, observez...*

Gaëtan aimerait bien < **que vous disiez** un mot.
dire un mot.

Il n'est pas content < **qu'Émilie soit venue.**
d'être venu.

On va à la campagne pour < **que les enfants prennent** l'air.
prendre l'air.

Mes parents sont d'accord à condition < **que je puisse** jouer au golf.
de pouvoir jouer au golf.

... que remarquez-vous :

....
....
....

GRAMMAIRE

1. DANS LA CONSTRUCTION **QUE** + **VERBE AU SUBJONCTIF**, LE VERBE 1 ET LE VERBE 2 ONT DES SUJETS DIFFÉRENTS (PLUSIEURS «ACTEURS»).
2. DANS LA CONSTRUCTION **INFINITIVE**, LE SUJET DES DEUX VERBES EST LE MÊME [MÊME(S) «ACTEUR(S)»):]

EXEMPLES : Je suis d'accord pour **l'aider**.
(= **Je** suis d'accord. **Je** l'aiderai.)

Nous regrettons de **ne pas y être allés**.
(= **Nous** regrettons. **Nous** n'y sommes pas allés.)

Pour vérifier la construction du verbe 1 (directe ou avec préposition), consultez le dictionnaire des verbes dans la *Grammaire vivante du français*, Larousse, p. 63.

136 *Transformez comme dans l'exemple (a) ; le verbe 2 change «d'acteur(s)» :*

a. Je veux bien que tu t'en occupes ! → Je veux bien m'en occuper.

b. Il aimerait que nous soyons invités.

....

c. La responsable tient à ce que tout le monde soit informé.

....

d. Elle préfère que nous partions tout de suite.

....

e. Mes parents ne s'habituent pas à ce que je vive seule !

....

f. Personne n'a envie qu'il s'en aille.

....

g. Il déteste qu'on prenne des photos.

....

h. Accepteriez-vous que je travaille à mi-temps ?

....

137 *Complétez avec la forme verbale qui convient :*

a. Il a fait ça pour ....

b. Nous devons payer un impôt spécial afin d(e) ....

c. Je suis d'accord à condition qu(e) ....

d. Il est parti sans ....

e. Il m'a posé des questions jusqu'à ce qu(e) ....

f. Fais ça en attendant d(e) ....

g. Nous avons accepté de peur qu(e) ....

138 *Formez des phrases avec les éléments proposés :*

souhaiter que / passer de bonnes vacances — regretter de / ne pas pouvoir venir — attendre de / avoir assez d'argent — suggérer que / recommencer à zéro — ne pas accepter que / se moquer de moi — tenir à / faire ce voyage — ne pas s'attendre à ce que / faire des progrès — s'habituer à / se lever à 6 heures du matin

B. Verbe 1 construit avec un complément d'objet

139 *Lisez, observez la double transformation...*

> a. Je veux qu'*il* vienne tout de suite !　　→　**Demandez**-*lui* de venir tout de suite !
> (demander à quelqu'un)
>
> b. C'est bien que *Gary* ait pris cette décision.　　→　Nous *le* **félicitons** *d'avoir pris* cette décision
> (féliciter quelqu'un)

... dites ce que vous remarquez...

....

....

LORSQUE LE VERBE 1 SE CONSTRUIT AVEC UN COMPLÉMENT D'OBJET DIRECT OU INDIRECT (FÉLICITER QUELQU'UN, DEMANDER À QUELQU'UN, ETC.), ON PRÉFÈRE UTILISER LA CONSTRUCTION INFINITIVE :

On peut dire bien sûr :

EXEMPLE : Je demande que vous arriviez à l'heure.

Mais il est plus courant de dire :

EXEMPLE : Je **vous** demande **d'arriver** à l'heure.

Ainsi, on a une construction infinitive malgré un sujet différent pour chaque verbe :

EXEMPLE : **Je** demande — **Vous** devez arriver à l'heure.

C'est le complément du verbe 1 qui joue le rôle de «sujet» pour l'infinitif :

EXEMPLE : Elle a supplié le médecin de rester.

Elle l'a supplié de rester.

GRAMMAIRE

... puis complétez en transformant les phrases proposées; vous utiliserez le pronom complément:

a. Il ne supporte pas que nous fassions du parachute.

Il .... empêche ....
....

b. Il vaut mieux que vous attendiez son retour.

Je .... conseille ....
....

c. Elle ne veut pas que ses enfants sortent le soir.

Elle .... interdit ....
....

d. Il faut que Marina rentre chez elle immédiatement!

Dites ....
....

e. Le médecin exige que je reste à l'hôpital jusqu'à mardi.

Le médecin .... ordonne ....
....

f. Ses professeurs voudraient que Romain fasse une thèse.

Ses professeurs .... encouragent
....

C. *Que* + subjonctif ou construction infinitive après une tournure impersonnelle?

140 *Lisez et observez:*

Il faut que j'y aille.
Il est nécessaire que tu y ailles.
Il se peut qu'elle y aille.

Il est exclu qu'ils y aillent.
Il vaudrait mieux que vous y alliez.

Il est souhaitable que nous y allions? ──ou──▶ **Il est souhaitable** d'y aller?

GRAMMAIRE

1. ON EMPLOIE LA CONSTRUCTION **QUE + SUBJONCTIF** APRÈS UNE TOURNURE IMPERSONNELLE LORSQU'ON VEUT INDIQUER LE SUJET PRÉCIS:

EXEMPLES : **Il est normal que Ludovic** y aille.

Il n'est pas question que vous y alliez.

Il vaudrait mieux qu'on y aille.

ou **Il vaudrait mieux que nous** y allions.

GRAMMAIRE

2. ON EMPLOIE LA CONSTRUCTION INFINITIVE APRÈS UNE TOURNURE IMPERSON-
NELLE

● Lorsque le «sujet» de l'infinitif est «nous» ou «on» s'il ne faut pas préciser :

EXEMPLES : Bon, maintenant, **il faut** se préparer !
(= il faut qu'**on** se prépare)
Est-il nécessaire d'annoncer la nouvelle aujourd'hui ?
(= est-il nécessaire que **nous** annoncions la nouvelle aujourd'hui ?)

● Lorsque le «sujet» de l'infinitif est «on» indéfini, général : «on» = les gens, tout
le monde, quelqu'un...

EXEMPLES : **Il faut** être honnête.
Il est urgent de prendre des mesures.

---

141 *Choisissez la bonne construction en utilisant le verbe proposé :*

a. La population en a assez de l'insécurité qui règne dans la ville. **Il est
normal** . . . .   réagir

b. Une chanson populaire de Maurice Chevalier dit : «Dans la vie, **faut
pas** * . . . . Moi, je m'en fais pas, les petites misères sont   s'en faire
que passagères...»

c. Caroline, maintenant ça suffit ! **Il faut** . . . .   prendre
une décision. Sinon, tu n'auras rien !

d. Avec tous les bagages que nous avons, **il vaut mieux**
. . . . un taxi-camionnette !   appeler

e. Avec les enfants, **il faut** . . . . patients. C'est bien connu !   être

f. Je sais bien que tu n'en as pas envie mais **il est bon** . . . .   aller
au mariage de ton cousin, pour faire plaisir à ta tante !

g. **Il est normal** . . . . fatigué. Il ne prend jamais de   être
vacances !

h. Vous savez bien qu'**il est impossible** . . . . la date de   changer
l'examen !

i. Pour renouveler un passeport, **il suffit** . . . . son ancien   présenter
passeport et . . . . deux photographies.   fournir

---

* faut pas (populaire) : il ne faut pas.

142 *À vous. Complétez (a) et (b), puis sur des modèles semblables, construisez de petits textes pour donner votre avis sur un projet (faire le mieux possible, éviter des erreurs, suggérer, etc.)*

    a. On a l'impression que pour ..., il faudrait ..., et surtout ...

    b. Ce serait une grave erreur ..., il faut ..., pour ..., il faut surtout ..., sans ...

II. *Que* + verbe à l'indicatif ou construction infinitive

A. Élément introducteur + *que* + verbe à l'indicatif

143 *Lisez, observez...*

a. Tout le monde **pense que** les affaires *vont* mal en ce moment. À cela, je **réponds qu'**il n'y *a* rien d'alarmant. J'**ajouterai** même **que** je *suis* optimiste car dans les six mois à venir, il y aura une reprise économique. Il y a quatre ou cinq ans, on **était aussi persuadés que** l'entreprise *allait* fermer, puis nous avons surmonté les difficultés dans des conditions encore plus difficiles !

b. Ils **ont bien dit qu'**ils *viendraient,* non ?
    — Elle, elle **a dit qu'**elle *viendrait* ! Mais lui, je ne sais pas.
    — Demandez-le-lui ! Moi, je **suis sûr qu'**il ne *viendra* pas !

... puis relevez, dans les deux textes, l'ensemble de la construction et notez le sujet du verbe 1 et du verbe 2 comme dans le premier cas :

	SUJET DU VERBE 1	SUJET DU VERBE 2
pense que... vont mal	Tout le monde	les affaires

... Que remarquez-vous à propos du temps utilisé pour le verbe 2, et à propos du sujet des verbes 1 et 2 ?

....

....

144 *Mettez le verbe à la forme qui convient. Attention à la correspondance des temps. Regardez bien les éléments introducteurs mis en valeur:*

a. D'après cet article, **il apparaît que** le Commandant Cousteau

.... en tête de tous les sondages de popularité. On y **lit**   être

que son succès .... trois choses: tenir à

— d'abord, le journaliste **souligne que** Cousteau ....   représenter

un mythe pour les Français;

— il **ajoute qu'**il .... aussi le sens des affaires;   avoir

— et **explique qu'**il .... sa popularité **au fait qu'**il   devoir

.... un scientifique qui sait s'adresser au grand public.   être

b. Allô, je voudrais **vérifier que** le train de demain pour Belfort

.... bien à 8 h 51, s'il vous plaît?   partir

— Oui madame, mais la direction nous **a signalé qu'**il y .....

.... un risque de grève. J'**espère qu'**elle   avoir

..............; **l'ennui, c'est qu'**on ne le ....   ne pas avoir
lieu / savoir
.... qu'au dernier moment! Rappelez demain matin vers 7 heures.

— Mais c'est horrible! Je **sais que** vous n'y .... pour   être

rien, mais je **trouve que** les grèves dans les transports en commun

.... inadmissibles! Je vais manquer un rendez-vous   être

essentiel pour moi **sous prétexte qu'**il y .... une grève!   avoir

c. Est-ce que vous **avez raconté** à Margot **que** nous ....   aller

voir son ami le sculpteur dimanche?

— Non, j'**ai pensé qu'**elle ....   ne pas être
contente
car je lui **avais promis que** nous .... avec elle!   aller

(Plus tard...)

Margot: **Il paraît que** vous .... voir Zitman. Mais nous   aller

avions convenu que nous .... ensemble!   aller

— J'**étais sûre que** vous .... mais   se fâcher

je veux retourner le voir et j'ai entendu **dire que** c'..............   être

portes ouvertes à son atelier tous les samedis après-midi.

— C'est vrai. Alors vous me **promettez que** nous ....   aller

samedi prochain?

— Promis!

145 *Relevez et classez les éléments introducteurs mis en valeur dans les textes (a), (b), (c) :*

Verbes et expressions verbales	Tournures impersonnelles	Mots de relation
. . . .	. . . .	. . . .
. . . .	. . . .	. . . .
. . . .	. . . .	. . . .
. . . .	. . . .	. . . .
. . . .	. . . .	. . . .
. . . .	. . . .	. . . .
. . . .	. . . .	. . . .

GRAMMAIRE

LES VERBES, EXPRESSIONS VERBALES OU TOURNURES IMPERSONNELLES QUI INTRODUISENT **QUE** + **INDICATIF** EXPRIMENT UNE MANIÈRE DE DIRE :

EXEMPLES : dire que, penser que, répondre que, savoir que, être sûr que, expliquer que, etc.

La liste est fournie dans la *Grammaire Vivante du Français,* Larousse, p. 144.

LE SUJET PEUT ÊTRE LE MÊME OU DIFFÉRENT POUR LE VERBE 1 ET POUR LE VERBE 2 :

EXEMPLES : Il a avoué qu'**il** avait menti.
Il a avoué que **nous** avions raison.

B. Élément introducteur + infinitif

146 *Lisez et observez*

ou ⌐ **Tu** penses que **tu** y arriveras tout seul ?
   └► Tu penses y arriver tout seul ?

ou ⌐ **Vous** êtes sûr que **vous** n'avez rien oublié ?
   └► Vous êtes sûr de n'avoir rien oublié ?

GRAMMAIRE

AVEC CERTAINS VERBES QUI INTRODUISENT **QUE** + **INDICATIF**

EXEMPLES : penser que, croire que, déclarer que, etc. (Voir exercice 143.)

QUAND LE VERBE 1 ET LE VERBE 2 ONT LE MÊME SUJET, ON PEUT CHOISIR LA CONSTRUCTION INFINITIVE :

EXEMPLES :

ou ┌── Le gouvernement estime qu'il a atteint ses objectifs.
   └──▶ Le gouvernement estime avoir atteint ses objectifs.

ou ┌── Il a déclaré qu'il ne savait rien.
   └──▶ Il a déclaré ne rien savoir.

La construction **que** + **indicatif** est utilisée dans un style plus courant, la construction **infinitive** dans un style plus soigné.

▶ Beaucoup de ces verbes ou expressions verbales, lorsqu'ils sont à la forme négative ou dans une phrase interrogative, se construisent avec l'infinitif de préférence :

EXEMPLES : **Me promettez-vous** *de venir ?*
                — Je **ne pense pas** *être libre* demain soir.

---

147 *Transformez en construction verbe + que ou en construction infinitive selon le cas proposé comme dans l'exemple (a) :*

a. À dix ans, il n'imaginait pas qu'il serait un jour ministre !
   À dix ans, il n'imaginait pas être un jour ministre !

b. En première, au lycée, j'avais un professeur de maths terrible. Je **me rappelle** avoir beaucoup souffert !

   ....

c. Enfin, il **reconnaît qu'**il a tort !

   ....

d. Quand on est jeune, on **pense** toujours **qu'**on a le temps...

   ....

e. On l'accuse de l'assassinat d'une vieille dame, il y a six mois. Beaucoup de faits l'accablent mais il **prétend qu'**il est victime d'une erreur.

   ....
   ....

f. Le chef cuisinier va parler au patron. Il **espère** qu'il obtiendra un apprenti pour l'aider pendant les mois d'été.

....

....

g. Elle **est certaine qu'**elle a oublié ses clés chez moi.

....

h. Il **croit qu'**il nous l'a dit. Mais il ne nous l'a pas dit !

....

i. Nous avons interrogé Monsieur Dupont sur l'affaire des ventes d'armes : il a **déclaré** ne pas être au courant.

....

....

j. Le candidat à la Présidence **prévoit qu'**il sera élu au premier tour des élections.

....

... et relevez les différents éléments introducteurs de cet exercice :

....

....

148 *Complétez les phrases comme il vous plaira en utilisant la construction infinitive :*

a. Pensez-vous ....

b. Il n'est pas sûr ....

c. Est-ce que vous espérez ....

d. Je n'ai pas l'impression ....

e. Quelqu'un vous a-t-il promis ....

f. Je ne prétends pas ....

g. Est-ce que vous croyez ....

h. Prévoit-on ....

i. Avez-vous le sentiment ....

j. Julien n'a jamais promis ....

I. Le présent à la place du passé composé, du passé simple ou de l'imparfait

A. Dans la narration

149 *Lisez le texte, observez...*

Lundi, 13 septembre

Chers enfants,

Merci de votre lettre, je **suis** heureuse d'avoir reçu de vos bonnes nouvelles. Ici, tout **va** bien aussi; il **fait** un temps superbe et nous avons commencé à manger sur la terrasse.

Mais il **faut** que je vous raconte ce qui m'est arrivé hier! Comme d'habitude, j'ai pris ma voiture pour aller travailler. En arrivant au croisement de l'Université, je **regarde,** pas de voiture, je **passe.** J'**entends** un coup de sifflet mais je **continue** ma route. Deuxième coup de sifflet insistant, je **regarde** dans mon rétroviseur et je **vois** un agent de police qui **me fait** signe de m'arrêter. J'**obtempère***. Je **me gare.** Il **s'approche.** Je **baisse** la vitre. Il **me dit**:

«Vous **êtes** sourde, madame?»

Je **réponds**:

«Non monsieur, je ne **suis** pas sourde!

— De toute façon, vous n'y **voyez** pas clair!

— Si monsieur, je **porte** des lunettes!

— Alors pourquoi vous ne vous êtes pas arrêtée au stop?

— Parce qu'il n'y en **a** pas!

— Comment il n'y en **a** pas? Vos papiers, s'il vous plaît!»

Je les lui **donne,** il **prend** mon adresse. Il me **dit**:

«Bien madame, vous recevrez l'amende à payer chez vous.»

Stupéfaction! je **passe** là tous les jours et je n'avais pas vu qu'il y avait un stop. Ils ont dû le mettre récemment! La force de l'habitude...

Mamie

_____

* *j'obtempère*: j'obéis.

... puis relevez les différents verbes au présent et classez-les:

PRÉSENTS DE LA NARRATION	Je suis heureuse, ...
PRÉSENTS DU DIALOGUE	Vous êtes sourde, ...
PRÉSENTS À LA PLACE DU PASSÉ COMPOSÉ	je regarde, ...

GRAMMAIRE

- Le présent de la narration est normal : actions qui se passent au moment où l'auteur de la lettre écrit.

- Le présent du dialogue est normal aussi : paroles exactes au moment où les actions se passent.

- Le présent utilisé à la place du passé composé est un choix de «l'auteur» pour rendre la scène plus vivante, plus dynamique. Le présent place le lecteur dans la scène : il vit les événements comme s'il avait été là.

- Le présent peut aussi rendre compte d'une situation ; il remplace alors l'imparfait si la narration avait été faite au passé :

EXEMPLES : Hier je suis passé chercher Dominique pour aller au théâtre. **J'arrive** ; elle n'**est** pas prête. Je m'**énerve**. Nous avons passé une soirée horrible !

(= quand je suis arrivé [événement], elle n'était pas prête [situation]. Je me suis énervé [événement]...)

150 *Lisez ce texte littéraire et soulignez d'un trait les verbes qui pourraient être au passé composé et de deux traits ceux qui pourraient être à l'imparfait :*

Au printemps 36, j'étais scripte dans un film de Marc Allégret lorsque, arrivant au studio de Billancourt, je trouve les grilles fermées. La vague spontanée de grèves — douze mille — qui a suivi la formation du gouvernement du Front populaire, parce que le monde du travail s'impatiente, cette vague soulève maintenant les ouvriers du cinéma : comme ceux des usines ou du bâtiment, ils font grève sur le tas[1]. [...]

Un régisseur furieux grogne : «Bande de salauds ! Quand ils auront tout démoli, ils seront contents»... Il ouvre la portière d'une voiture et me dit : «Allez, monte. Je te ramène à Paris.»

Au lieu de monter dans la voiture, je marche vers les grilles parce qu'il faut, physiquement, que j'aille vers eux... À travers la grille un machiniste m'aperçoit, m'appelle et me dit : «Il faudrait faire une commission à ma femme pour qu'elle apporte à bouffer[2]...» Je réponds que je vais y aller. J'ai choisi. La voiture est repartie sans moi.

FRANÇOISE GIROUD, Leçons particulières, © Librairie Arthème Fayard, 1990.

---

1. *sur le tas :* sur le lieu de travail.
2. *bouffer :* (familier) manger.

B. Autres emplois

151 *Lisez et justifiez l'emploi et la valeur des présents par rapport aux trois temps du passé du début :*

Molière (1622-1673)

Jean-Baptiste Poquelin est né à Paris. Son père était artisan, «tapissier ordinaire du roi». Jean-Baptiste aurait pu lui succéder mais il préfère le théâtre. Lié à la comédienne Madeleine Béjart, il fonde avec elle «l'Illustre-Théâtre» et prend le nom de Molière. Tout en jouant des pièces d'autres auteurs, comme Corneille, Molière donne alors ses premiers grands succès : *Les Précieuses ridicules* et *L'École des femmes...* Le *Tartuffe* et *Dom Juan* déchaînent la colère du «parti dévot»*. Les deux pièces sont interdites, mais la troupe de Molière devient «troupe du roi». Molière a 43 ans. Ses dernières années seront difficiles... À la quatrième représentation du *Malade imaginaire,* Molière, sitôt sorti de scène, doit être transporté chez lui. Il meurt la même nuit à 51 ans...

En 1680, Louis XIV réunira la troupe de Molière et celle de l'hôtel de Bourgogne pour fonder la «Comédie-Française».

ROLAND ÉLUERD, Anthologie de la littérature française, © Larousse.

* *dévot :* religieux.

....

....

....

152 *Complétez avec les verbes proposés au présent :*

a. *Napoléon*

1809 : Napoléon .... l'Autriche à Wagram. Celle-ci   battre

.... les côtes de l'Adriatique à la France et Marie-Louise, 19   céder

ans, fille de l'empereur d'Autriche, ... Napoléon le 2 avril   épouser

1810.

1815 : Napoléon est battu. Il .... le 22 juin et ....   abdiquer / se rendre

aux Anglais qui l'.............. à Sainte-Hélène où il ....   exiler / mourir

le 5 mai 1821.

b. *Les élections au Parlement européen*

Le 10 juin 1979, pour la première fois, l'élection des membres du

Parlement européen .... au suffrage universel. Près de 110   se faire

millions de citoyens .... aux élections. Réuni à Strasbourg   participer

au Palais de l'Europe, le Parlement .... Mme Simone Veil   élire

(France) à sa présidence pour deux ans et demi.

c. *La carrière d'un grand footballeur : Michel Platini*

Platini .... le 21 juin 1955 à Jœuf (Meurthe et Moselle).   naître

Il .... au club de foot de Nancy et, grâce à lui, ce club   commencer

.... la coupe de France. Il .... aussi de l'équipe   gagner / faire partie

de France. Il .... à Saint Étienne. L'équipe de cette ville   jouer

.... en tête au championnat de France en 1981. En 1982,   arriver

il .... à la Juventus de Turin et .... célèbre.   aller / devenir

C'.............. le meilleur buteur d'Italie et il .... le ballon   être / gagne

d'or européen trois ans de suite (1983-1984-1985). Il .... sa   prendre

retraite et on le .... sélectionneur de l'Équipe de France.   nommer

Cette équipe .... victoire sur victoire en 1991   remporter

153 *Transformez les phrases proposées en utilisant le présent comme dans le premier exemple :*

Panorama spécial : 10 ans de présidence (1981-1991)

Mai 1981   : Élection de François Mitterrand président de la République. Choix de Pierre Mauroy comme Premier ministre

Les Français élisent François Mitterrand président de la République qui choisit Pierre Mauroy comme Premier ministre.

Juin 1982 : Ouverture du 8ᵉ Sommet des pays industrialisés à Versailles.

Le 8ᵉ Sommet ....

Octobre 1983 : Manifestation de 100 000 cadres dans Paris pour demander un changement de politique.

100 000 cadres ....

Juillet 1984 : Nomination de Laurent Fabius, Premier ministre.

Le Président ....

Décembre 1985 : Signature par Laurent Fabius et Michael Eisner de l'accord de construction d'un Disneyland près de Paris.

Laurent Fabius et ....

Janvier 1986 : Annonce par François Mitterrand et Margaret Thatcher de la construction du tunnel sous la Manche.

François Mitterrand et ....

Mars 1986 : Élections législatives remportées par la droite. Nomination de Jacques Chirac comme Premier ministre.

La droite ....

et François Mitterrand ....

Mai 1988 : Réélection de François Mitterrand (54 % des voix). Nomination de Michel Rocard comme Premier ministre.

Les Français ....

qui ....

Juillet 1989 : Célébration du bicentenaire de la Révolution française. Inauguration par le président de la République de l'Arche de la Défense.

On ....

Le président de la République ....

....

Mai 1991 : Démission de Michel Rocard. Nomination par le président d'Édith Cresson, première femme à être Premier ministre en France.

Michel Rocard ....

Le Président ....

154 *À vous. Écrivez une lettre à un ami pour raconter quelque chose qui vous est arrivé sur le modèle de l'exercice 149. Ou bien recherchez des textes (biographies, faits historiques ou politiques) qui illustrent cette valeur du présent.*

II. L'expression du passé récent: *venir* de + infinitif

155 *Lisez les deux exemples, observez...*

> a. Mademoiselle, est-ce que vous avez tapé le rapport?
> — Oui monsieur, je **viens de terminer**.
>
> b. Comment ça s'est passé?
> — Eh bien, je **venais de garer** ma voiture et quand j'ai ouvert la portière, un individu m'a arraché mon sac.
>
> ▶ Dans la narration au passé, on emploie *venir* à l'**imparfait** + *de* + infinitif pour exprimer l'antériorité immédiate.

... puis complétez en utilisant venir de *(au présent ou à l'imparfait)* + l'infinitif proposé :

a. Tu viens au cinéma avec nous?

— Écoute, je .... 500 km en voiture   faire

je suis trop fatigué.

b. La radio .... que des agriculteurs en   annoncer

Bretagne bloquent les routes.

c. Quand nous sommes arrivés à la gare, le train   partir (juste)

..............................!

d. Pardon, je n'ai pas compris...

— Je .... que la réunion aura lieu   dire

salle 208.

e. Avec les embouteillages, nous sommes arrivés en retard, le spectacle

....   commencer

f. Vous n'avez pas lu le livre de Régis Debray?

— Le dernier? Non, il ...., je crois?   sortir (juste)

▶ *Venir de* + **infinitif** peut être remplacé par le présent avec un certain nombre de verbes; le verbe est souvent accompagné d'une marque temporelle (cf. exercice 156):

     EXEMPLE: **Vous sortez à peine de la réunion?**
              — Oui, on *termine* à l'instant! (= on vient de terminer)

156 *Complétez avec les verbes proposés au présent comme dans l'exemple (a):*

   a. Tu as vu Renaud?

      — Oui, je le quitte à l'instant! (= je viens de le quitter)   quitter

   b. Il y a longtemps que tu m'attends?

      — Non, j'.............. (= ....)   arriver

   c. Je ne suis pas trop en retard?

      — Non, le cours .... à peine; (= ....)   commencer

   d. Le chirurgien est très fatigué; il ....   terminer

      une opération qui a duré trois heures! (= ....)

   e. Bonsoir chérie!

      — Ah, te voilà, je .... à l'instant! (= ....)   raccrocher

      Je te téléphonais pour savoir si tu rentrais dîner!

   f. Comment va votre mari?

      — Vous savez, il .... à peine de l'hôpital! (= ....   sortir

      ....) Il se remettra* petit à petit...

---

   * *se remettra:* retrouvera la santé.

III. L'expression du déroulement:
être en train de + infinitif

157 *Lisez les deux exemples et observez...*

> a. Ne dérange pas ton frère, il **est en train d'étudier**.
>
> b. Nous **sommes en train de préparer** les emplois du temps de l'année prochaine. Ils seront prêts dans une semaine. Pas avant.

ÊTRE EN TRAIN DE EXPRIME UNE ACTION QUI SE FAIT (DE DURÉE PLUS OU MOINS LONGUE). CETTE TOURNURE PERMET D'INSISTER SUR LE DÉROULEMENT DE L'ACTION :

EXEMPLE : Regarde-le ! Il **est en train** d'arracher toutes les fleurs. Viens ici, petit coquin !

ÊTRE EN TRAIN DE S'UTILISE AUSSI

— avec l'imparfait pour exprimer le déroulement de l'action dans le passé :

EXEMPLE : Quand nous sommes revenus, ils **étaient encore en train** de discuter !

— avec le futur pour exprimer le déroulement de l'action dans le futur :

EXEMPLE : Tu verras, quand nous reviendrons, ils **seront encore en train de** discuter !

GRAMMAIRE

... et utilisez la tournure en train de *comme dans l'exemple (a), avec le temps qui convient :*

a. Chut, les enfants dorment. → Chut, les enfants sont en train de dormir.

b. Quand nous sommes arrivés à 11 heures, ils prenaient leur petit déjeuner !

....

c. En ce moment, les députés discutent du budget de l'État pour l'année prochaine.

....

d. Je me demande si on a bien fermé la porte !

....

e. Aujourd'hui, c'est le bac. Dans deux heures, tous les élèves liront les sujets de philosophie qu'on leur propose.

....

f. Je n'entends pas Guillaume. J'espère qu'il ne fait pas de bêtises !

....

g. Si nous arrivons trop tôt, ils dormiront encore !

....

h. Mais qu'est-ce que tu racontes ?

....

i. Nous roulions tranquillement sur l'autoroute au moment où le camion nous a accrochés.

. . . .

j. Camille, qu'est-ce que tu fais?

. . . .

IV. Le présent à la place du futur

158 *Lisez et observez...*

> Cette fois-ci, ma décision est prise: le mois prochain, je **donne** ma démission et cet été, je **pars** avec deux amis faire le tour du monde en bateau.
> Tout le monde me prendra pour un fou, tant pis. À partir de maintenant, je ne **pense** qu'à moi, et je **fais** ce que je **veux**!

... puis relevez et classez les verbes au présent et les verbes au futur:

. . . .

. . . .

GRAMMAIRE

LE PRÉSENT QUI A UNE VALEUR DE FUTUR EST UTILISÉ:

— avec une marque temporelle (le mois prochain, cet été, etc.),
— pour exprimer une action sûre, donc présentée dans son accomplissement dans un futur plus ou moins proche:

EXEMPLES: Est-ce que vous avez téléphoné à madame Thibaut?
— Non, mais je l'**appelle** tout de suite.

Vous prenez votre retraite dans deux ans. Qu'est-ce que vous avez prévu?
— Nous **retournons** à Menton vivre plus près de notre famille.

Pour la valeur et les emplois du futur en -rai, -ras, -ra, -rons, -rez, -ront et du futur proche, voir *Exercices d'apprentissage* 2, p. 72-88.

159 *Complétez avec les verbes proposés au présent et notez bien les emplois :*

a. Qu'est-ce que tu . . . . dimanche ?   faire

   — Je . . . . à la maison pour travailler.   rester

b. La semaine prochaine, le président de la République

   . . . . un long voyage en Amérique latine.   entreprendre

c. Le mois prochain, c'. . . . . l'anniversaire de Clément.   être

   Qu'est-ce qu'on . . . . ?   organiser

d. Tu n'es pas encore aller manger ?

   — Non mais j'y . . . . tout de suite.   aller

e. Nous . . . . une nouvelle ligne Paris-Caracas en service   mettre

   à partir du 1er octobre prochain.

f. Attendez un instant, j'. . . . . !   arriver

160 *À vous. Exposez un projet sûr qui vous concerne. N'oubliez pas d'utiliser les marques temporelles nécessaires (demain, le mois prochain, etc.)*

Valeurs
de l'imparfait

I. L'imparfait à la place
du passé composé / passé simple

161 *Lisez les deux textes qui suivent et observez les verbes mis en valeur :*

a. L'enfant avait disparu du jardin de ses grands-parents où il jouait. Les recherches ont été entreprises tout de suite par la gendarmerie et tous les villageois. Aucune trace de l'enfant. Finalement, on le **retrouvait** après trois jours et trois nuits, perdu dans les bois, épuisé mais vivant !

▶ «On le retrouvait» à la place de «on l'a retrouvé» donne une dimension à l'action ; elle est amplifiée, grossie.

b. ... Quand Gervaise s'éveilla, vers cinq heures, raidie, les reins brisés, elle éclata en sanglots. Lantier n'était pas rentré. Pour la première fois, il découchait. Elle resta assise au bord du lit, sous le lambeau de perse déteinte[1] qui tombait de la flèche attachée au plafond par une ficelle. Et lentement, de ses yeux voilés de larmes, elle **faisait** le tour de la misérable chambre garnie[2].

ÉMILE ZOLA, *L'Assommoir.*

▶ «il découchait», «qui tombait» sont des emplois normaux de l'imparfait : ils décrivent des situations.
«elle faisait» est un imparfait qui remplace le passé simple : «elle fit». Ce choix de l'auteur sert à mettre en valeur le visage de Gervaise (comme un «gros plan» au cinéma) et à augmenter l'effet dramatique.

1. *lambeau de perse déteinte :* vieux tissu.
2. *garnie :* meublée.

162 *Lisez les textes suivants pour comprendre cet emploi de l'imparfait. Remplacez-le(s) par le passé composé, ou le passé simple selon le type de texte :*

a. Nous avions engagé une jeune fille au pair pendant les vacances pour garder les enfants. Mais tout de suite, elle a eu un comportement bizarre. Au bout de trois jours, je la **renvoyais** dans son pays !

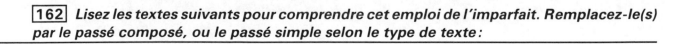

b. Aube

... à la cime argentée je reconnus la déesse.

Alors, je levai un à un les voiles. Dans l'allée, en agitant les bras. Par la plaine, où je l'ai dénoncée au coq. À la grand-ville, elle fuyait parmi les clochers et les dômes, et, courant comme un mendiant sur les quais de marbre, je la **chassais**[1]. [...]

ARTHUR RIMBAUD, *Illuminations,* XXII.

....

c. Cambriolage

M. Morgan Reynolds eut une bien fâcheuse surprise lorsque, au retour d'une grande réception, il **rentrait**, en compagnie de son épouse, à son domicile vers deux heures du matin et **découvrait** le boudoir[2] proche de l'entrée entièrement dévasté, les tiroirs des meubles arrachés, vidés de leur contenu.

J.R. ALBERTIN, *France-Soir.*

....

d. Après cinq années de guerre contre Hitler, le 6 juin 1944, les troupes alliées **débarquaient** en Normandie. Ainsi **commençait** la libération de la France de l'occupation nazie (Capitulation signée le 8 mai 1948).

....

---

1. *je la chassais :* je la poursuivais pour l'attraper.
2. *boudoir :* petit salon.

II. Emploi obligatoire de l'imparfait

A. Après *si* pour suggérer/proposer

163 *Lisez, observez...*

On n'a rien à faire demain après-midi?
— Non. Si on **allait** jouer au golf...

▶ Ici, l'imparfait exprime une action future.

... puis suggérez quelque chose :

— à quelqu'un qui se sent seul
— à quelqu'un qui cherche une idée cadeau
— à quelqu'un qui veut se distraire
— à quelqu'un qui ne sait pas quoi faire à manger
— à quelqu'un qui ne sait pas où vous inviter à dîner
— à quelqu'un qui veut faire des progrès en français

B. Après *comme si* pour apporter une explication, une hypothèse

164 *Lisez, observez...*

a. Il fait comme si ses parents n'**existaient** pas ! (mais ils existent)

b. Tu parles fort comme si j'**étais** sourde ! (mais je ne suis pas sourde)

▶ L'imparfait exprime ici une situation présente. Il peut être remplacé par le plus-que-parfait pour exprimer l'antériorité :

EXEMPLE : La vie continue comme si rien ne **s'était passé**.
(pourtant quelque chose s'est passé)

... puis complétez pour apporter une explication-hypothèse avec comme si + *imparfait ou* plus-que-parfait :

a. Le ciel est gris ....

b. Elle parle toujours de ses problèmes d'argent ....

c. L'usine a continué à fonctionner ....

d. Ce chien a toujours faim ....

e. Nous avons fait ....

f. Le professeur faisait son cours ....

▶ Dans le style littéraire et pour respecter la concordance des temps, on emploie le subjonctif imparfait ou plus-que-parfait.

EXEMPLE : Ils discutaient comme si la vieille femme n'**eût pas été** présente.

FRANÇOIS MAURIAC.

Emplois et valeurs particulières des temps du passé

PASSÉ COMPOSÉ

IMPARFAIT   PLUS-QUE-PARFAIT

I. Les temps du passé avec toujours ou jamais

A. Notion de continuité

165 *Observez...*

Il **a toujours été** gentil avec moi.
Il **n'a jamais été** gentil avec moi.

▶ Ici le passé composé indique un point de départ dans le passé et **toujours** ou **jamais** expriment la continuité dans le temps jusqu'au moment où on parle.

PASSÉ   —   PRÉSENT

X————————X——▶

CONTINUITÉ

Cet emploi permet de décrire un état permanent dans le passé et qui est encore valable. (Il a été gentil et **il est encore** gentil avec moi aujourd'hui.
Jusqu'à maintenant, il n'a pas été gentil avec moi.)

... puis faites vous-même des phrases avec les éléments proposés en exprimant cette continuité avec **toujours** *ou* **jamais** *+ verbe au passé composé.*

se disputer — aimer cette ville — souhaiter les rencontrer — avoir de la chance — poser des problèmes — dire la vérité — habiter cette maison — intéresser.

....

....

....

....

....

....

....

B. Notion de rupture

166 *Observez et comparez...*

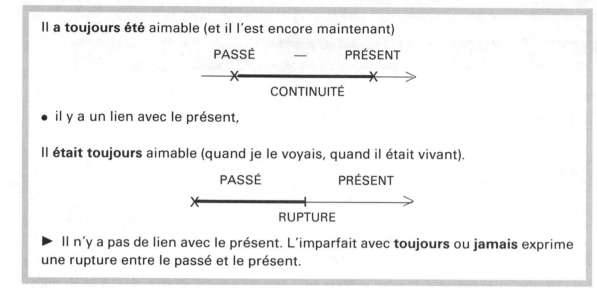

Il **a toujours été** aimable (et il l'est encore maintenant)

PASSÉ — PRÉSENT

CONTINUITÉ

● il y a un lien avec le présent,

Il **était toujours** aimable (quand je le voyais, quand il était vivant).

PASSÉ   PRÉSENT

RUPTURE

▶ Il n'y a pas de lien avec le présent. L'imparfait avec **toujours** ou **jamais** exprime une rupture entre le passé et le présent.

*... et maintenant, lisez les phrases suivantes et indiquez s'il y a **continuité** avec le présent (action encore valable aujourd'hui) ou s'il y a **rupture** avec le passé (action complètement passée) comme dans l'exemple (a) :*

a. Malheureusement, ses enfants ne l'ont jamais aidé(e).

continuité : ils ne l'aident pas au moment où on parle.

b. Les relations avec ce pays ont toujours été très difficiles.

....

c. Il n'était jamais prêt à l'heure.

....

d. Cet arbre n'a jamais fleuri !

....

e. Ça n'a jamais été facile de travailler avec lui !

....

f. Elle était toujours très gaie.

....

g. C'était toujours intéressant de l'entendre raconter ses voyages.

....

h. Cette émission n'a jamais passionné les téléspectateurs !

....

C. Notion de changement

167 *Observez...*

Les relations avec ce pays **avaient toujours été** très difficiles. (Mais maintenant elles sont très bonnes.)

PASSÉ   PRÉSENT

⟶

CHANGEMENT

► Avec le plus-que-parfait à la place du passé composé, on exprime un change-ment.

... et indiquez s'il y a continuité jusqu'au moment où l'on parle ou changement comme dans l'exemple (a) :

a. Il ne s'était jamais posé la question !

changement ; maintenant il se pose la question.

b. Cette région a toujours subi de fortes inondations au printemps.

....

c. Elle avait toujours refusé de vendre sa maison natale !

....

d. Cet appareil n'avait jamais fonctionné.

....

e. Je n'ai jamais compris son attitude envers moi !

....

f. Personne n'était jamais arrivé à cet endroit du pôle Nord.

....

g. Elle n'avait jamais été malade.

....

h. Elle n'était jamais sortie de son pays.

....

II. Utilisation du passé composé dans la construction *c'est...* + pronom relatif

168 *Observez...*

> ► On dit :   C'**est** lui qui **a fait** ça, ou ⎧ C'**est** lui qui **faisait** ça.
> ⎩ C'**était** lui qui **faisait** ça.
>
> Mais on ne peut pas dire :   C'**était** lui qui a fait ça.
>
> ► C'**était...** + **pronom relatif** ne peut pas être suivi d'un verbe au passé composé.

... et choisissez entre c'est et c'était (s'il y a les deux possibilités, indiquez-les) :

a. .... l'époque où les affaires allaient mal !

b. .... un médecin hollandais qui a découvert ce médicament.

c. .... vous qui avez fait ça ?

d. .... celui qui parlait tout le temps !

e. .... avec lui que je m'entendais le mieux.

f. .... une personne à qui on pouvait faire confiance.

g. À ce moment-là, ... moi qui dirigeait l'orchestre de Vienne.

h. Bien sûr, ... elle qui a fondé l'association !

I. Rappel des notions fondamentales

A. Emploi de *depuis, ça fait... que, il y a... que*
avec un verbe au présent ou au passé composé :

169 *Observez...*

a. Il travaille depuis trois ans.
Il ne travaille plus depuis trois mois.
● Avec le présent l'action est **vue dans sa continuité** (passé ⟶ présent ⟶ futur).

b. Il n'a pas travaillé depuis trois ans.
(Mais il travaillera sans doute à nouveau.)
● Avec le passé composé et le **verbe à la forme négative**, l'action est **vue comme exceptionnelle** ou **provisoire** :

▶ **Depuis** peut être remplacé par **ça fait... que** ou **il y a... que**.

... et complétez avec les verbes proposés au présent ou au passé composé suivant la manière de voir l'action :

a. J'ai compris, le tabac, c'est fini. Je .... depuis mes   fumer
ennuis respiratoires de l'hiver dernier.

b. Mais où étiez-vous passé ? Ça fait deux jours qu'on ....   essayer
de vous appeler chez vous !

c. Il y a longtemps que je .... Olivia ; il faudra que je lui   ne pas voir
passe un petit coup de fil.

d. Incroyable ! Il .... depuis le mois de   pleuvoir
décembre. Les paysans attendent la pluie avec impatience !

e. Ma grand-mère a 90 ans, elle ne peut plus marcher. Depuis deux ans   ne plus pouvoir
déjà, elle .... sortir de chez elle.

* Suite du chapitre des *Exercices d'apprentissage 2.*

f. Ça fait trois jours que la forêt de pins des Landes ....   être
en feu. Avec le vent, les pompiers luttent sans succès.

g. En ce moment, j'ai un travail fou! Depuis un mois, je ne
.... pas plus de 5-6 heures par nuit. Je suis épuisée!   dormir

h. Nous, il y a des années que nous .... du golf. Nous   faire
sommes des passionnés!

170 *Trouvez le verbe qui convient et mettez-le au bon temps:*

C'est incroyable! Depuis trois mois,

action vue dans sa continuité		*action vue comme exceptionnelle*
il .... bien à l'école,	il ne .... rien à l'école,	il n'............... une seule mauvaise note,
il .... adorable à la maison,	il n'............... pas gentil à la maison,	il ne .... avec sa sœur,
il .... avec nous le dimanche!	il ne .... plus avec nous le dimanche!	il n'................... de sortir avec nous le dimanche!

B. Emploi de *depuis, ça faisait... que, il y avait... que* dans la narration au passé.

171 *Observez la concordance des temps...*

> ┌─ Il **occupe** les fonctions de Secrétaire général depuis trois ans.
> └─►Il **occupait** les fonctions de Secrétaire général depuis trois ans quand il **a démissionné**.
>
> ┌─ C'est un chef d'orchestre qui n'**a pas dirigé** depuis deux ans.
> └─►C'est un chef d'orchestre qui n'**avait pas dirigé** depuis deux ans mais il **a été** meilleur que jamais!
>
> ► Dans la narration au passé,
> - l'imparfait remplace le présent,
> - le plus-que-parfait remplace le passé composé.

... et complétez avec les verbes proposés à l'imparfait ou au plus-que-parfait :

Avec depuis

a. Nous avons passé une semaine de vacances ensemble. Nous . . . . cette occasion depuis des années ! — ne pas avoir

b. Il . . . . là depuis vingt ans. Mais l'usine a fermé et il se trouve au chômage ! — travailler

c. Depuis quelques temps, il . . . . en forme ; on l'a hospitalisé hier pour faire des examens. — ne pas être

d. C'était un délice ! Je . . . . d'aussi bonnes crêpes depuis longtemps ! — ne pas manger

e. De la neige ! Il . . . . depuis deux ans ! — ne pas neiger

Avec ça faisait... que *ou* il y avait... que *dans la narration au passé :*

a. Enfin, il a eu son bac. Ça . . . . deux fois qu'il . . . . ! — faire / essayer

b. Quand nous sommes arrivés, il y . . . . longtemps que Nelly nous . . . . — avoir / attendre

c. Toute la famille était réunie pour les 50 ans de papa. Il y . . . . longtemps qu'on . . . . faire ça ! — avoir / ne pas pouvoir

d. Finalement, nous venons de recevoir une lettre ! Ça . . . . deux mois que nous . . . . de nouvelles de lui ! — faire / ne pas avoir

e. Quand la paix a été signée, ça . . . . douze ans que le pays . . . . en guerre. — faire / être

C. Emploi de *ça fera... que, il y aura... que* + présent ou passé composé pour exprimer un fait important dans le futur

172 *Complétez les phrases avec les verbes proposés comme dans l'exemple (a) :*

a. Demain, **il y aura** un an que je n'ai pas travaillé !

b. Le mois prochain, ça . . . . dix ans que nous . . . . — faire / collaborer

c. Bientôt, ça .... six mois que je .... une goutte d'alcool !

faire / ne pas boire

d. En mai, il y .... vingt-cinq ans que Pierre-André .... l'entreprise.

avoir
diriger

e. À la fin du mois, ça .... exactement un an que je .... du club de foot.

faire / ne
plus s'occuper

f. Il y .... bientôt six mois que Victor .... signe de vie.

avoir / ne pas
donner

g. Dimanche, ça .... cinq ans que nous .... ensemble !

faire / vivre

h. Dans une semaine, ça .... deux ans que nous .... ici.

faire
habiter

II. Expression de la durée et emploi des temps avec un verbe à sens perfectif

173 *Lisez, observez...*

Le spectacle a commencé **il y a** dix minutes ⟶ MOMENT PRÉCIS

ou **Il y a** dix minutes **que** le spectacle a commencé.
Ça fait dix minutes **que** le spectacle a commencé.
Le spectacle a commencé **depuis** dix minutes.

} MOMENT PRÉCIS + DURÉE

▶ Un verbe à sens perfectif exprime une action ponctuelle, un événement qui a lieu à un moment précis : **commencer, terminer, trouver la solution, sortir, arriver,** etc.

▶ Pour exprimer **un moment précis + durée**
— on emploie le passé composé : l'action est considérée comme un événement ;
— le verbe est à la forme affirmative.

... puis remplacez il y a *par* il y a... que, ça fait... que, depuis; *notez bien le type de verbes choisis (éléments mis en valeur):*

a. Ils ont **quitté** définitivement le pays il y a cinq ou six ans.

....

b. Papa est **arrivé** il y a deux minutes à peine et tu l'embêtes déjà !

....

c. La centrale nucléaire a **repris** son activité il y a deux mois.

....

d. J'ai **changé** d'adresse il y a plus d'un an. Vous n'étiez pas au courant ?

....

e. Non, elle n'est pas là; elle est **sortie** il y a une demi-heure à peu près.

....

f. Comment! David n'est pas rentré chez vous? Mais il est **parti** d'ici il y a une bonne heure !

....

g. Moi, j'ai **terminé** il y au moins dix minutes.

....

h. Il a **renoncé** à tout régime amaigrissant il y a bien longtemps !

....

174 *Répondez en utilisant une durée avec* il y a... que, ça fait... que, *ou* depuis + *passé composé. Avec* depuis *vous pouvez utiliser des dates précises (dimanche, hier soir, 1982...) ou indiquer un point de référence (que nous l'avons connu, qu'il fait beau...)*

a. Quand est-il **sorti** de l'hôpital ?

....

b. Vous avez **changé** de coiffure ? Ça vous va très bien !

....

c. Comment! Elsa est déjà **partie** ?

....

d. Ah, ils ont **rompu** les relations diplomatiques avec nous ?

....

e. Quand a-t-il **repris** ses cours?

....

f. Vous avez **abandonné** le journalisme? C'est récent?

....

g. Ah, enfin, tu as **cessé** de fumer?

....

175 *Complétez avec le verbe proposé au plus-que-parfait comme dans l'exemple (a):*

a. Nous venons de vendre notre voiture. Ça faisait déjà quelques temps que nous avions décidé d'en acheter une plus petite.

b. Tu n'as pas voulu m'écouter, pourtant je .... te prévenir depuis longtemps!

c. Il y avait plusieurs années que ce dangereux gangster .... le pays mais on vient de retrouver sa trace.   quitter

d. J'ai attendu la fin de l'épreuve pour rendre ma dissertation mais ça faisait bien une heure que j'.....................   terminer

e. Il y avait presque six mois qu'ils .... quand son ex-mari a décidé de revenir à la maison!   divorcer

f. J'ai donné ma démission la semaine dernière mais j'..................... ma décision depuis longtemps.   prendre

LES VERBES UTILISÉS DANS LES EXERCICES 173, 174 et 175 ACCOMPAGNÉS D'UNE DURÉE **EXPRIMENT UN ÉTAT:**

EXEMPLES: Il est arrivé depuis dix minutes.
(= il est là depuis dix minutes)

Il est sorti depuis dix minutes.
(= il n'est pas là depuis dix minutes)

J'ai fini depuis deux heures.
(= le travail est actuellement fini)

GRAMMAIRE

MAIS CERTAINS VERBES ONT UN SENS PLUS PONCTUEL :

EXEMPLES : acheter, trouver quelque chose, avoir un malaise, recevoir une lettre, épouser quelqu'un, etc.

L'action se termine en se faisant et l'**effet ne se prolonge pas**; ces verbes n'indiquent pas un état.

Avec ces verbes, on utilise **il y a** mais jamais **depuis**.

EXEMPLES : J'**ai trouvé** ce portefeuille **il y a** deux jours.
Nous **avons reçu** votre lettre **il y a** une semaine.

---

176 *Lisez les phrases suivantes qui contiennent* il y a + durée *et mettez une croix dans la case quand* depuis *est impossible :*

a. J'ai acheté cette robe il y a au moins deux ans ! ☐

b. Il a passé une visite médicale il y a trois mois. ☐

c. Patrick est sorti il y a dix minutes à peine. ☐

d. Elle est passée me voir il y a une semaine. ☐

e. Le train est arrivé il y a dix minutes. ☐

f. Elle s'est cassé la jambe il y a deux semaines en faisant du ski. ☐

g. J'ai renoncé à le convaincre il y a longtemps ! ☐

h. Elle a épousé ce garçon il y a quatre ou cinq ans maintenant. ☐

III. Expression de la durée avec un verbe indiquant une action progressive

177 *Observez...*

Depuis un an, la situation **s'améliore** / **ne s'améliore pas**.
Depuis un an, la situation **s'est améliorée** / **ne s'est pas améliorée**.

GRAMMAIRE

- Si on utilise le présent, on exprime la **continuité**.

- Si on utilise le passé composé, on fait un **constat** de la progression.

- On peut utiliser **il y a… que** ou **ça fait… que** à la place de **depuis**.

- Dans la narration au passé, on emploie :

— l'imparfait à la place du présent :

EXEMPLE : Depuis un an, la situation **s'améliorait** mais la hausse du pétrole a changé la tendance.

(Il y avait un an que la situation s'améliorait mais…
Ça faisait un an que la situation s'améliorait mais…)

— le plus-que-parfait à la place du passé composé :

EXEMPLE : Depuis un an, la situation **s'était améliorée** mais…
(Il y avait un an que la situation s'était améliorée mais…
Ça faisait un an que la situation s'était améliorée mais…)

… et construisez des phrases du même type, en utilisant depuis, il y a… que, ça fait… que **(à la forme affirmative ou négative) avec les verbes :**

grossir-maigrir, augmenter-diminuer, se détériorer, empirer, s'aggraver, progresser

I. Le passé composé

178 *Observez...*

> Quand **elle a accompagné** les enfants à l'école, elle va à l'université.
> AVANT   APRÈS
>
> ▶ Le passé composé exprime l'antériorité par rapport au présent (l'action au passé composé a lieu avant l'action au présent), après **quand, lorsque, dès que, une fois que, aussitôt que, à partir du moment où,** etc.

... et mettez les verbes proposés au présent ou au passé composé comme dans l'exemple (a) :

a. Dès que les enfants ont fini de dîner, ils vont dormir.   finir / aller

b. Quand il .... ses devoirs, sa mère l'............... à aller jouer dans la cour.   faire / autoriser

c. À partir du moment où le professeur .... de la classe, les élèves .... à faire du chahut.   sortir

   commencer

d. Aussitôt qu'elle .... la soupe dans l'assiette, les chiots .... pour manger.   verser

   se précipiter

e. C'est un rituel. Lorsque grand-père .... son café, il .... dans le jardin et .... fumer un cigare avec le voisin.   boire

   sortir / aller

f. Une fois qu'il .... les contours du sujet, il .... les détails.   dessiner

   ajouter

g. Dès que l'instituteur .... les absences, il .... la leçon.   noter

   commencer

II. Le plus-que-parfait

179 *Observez...*

---

a. Je suis arrivé à 15 heures mais vous **étiez parti**.
   APRÈS   AVANT
   └─────────────────────────────────┘
              dans le passé

b. Ils **avaient dîné** et faisaient une partie de cartes.
   AVANT   APRÈS
   └────────────────┘
        dans le passé

c. Il répondit à la lettre qu'il **avait reçu** le matin.
   APRÈS   AVANT
   └────────────────────────┘
           dans le passé

d. Dès qu'il **avait fini** son dessert il allait s'asseoir devant la télévision.
   AVANT   APRÈS
   └────────────────────────┘
           dans le passé

... et mettez les verbes proposés au temps qui convient :

a. Les livres qui . . . . ce matin ne sont   arriver

   pas ceux que nous . . . .   commander

b. Le dentiste m'. . . . . la dent qu'il m'. . . . .   arracher /

   . . . . l'année dernière.   soigner

c. Personne ne lui faisait confiance car elle . . . .   se dépêcher

   toujours de répéter tout ce qu'on lui . . . .   confier

   la veille.

d. Marc se trouva soudain dans une situation difficile et il

   . . . . de se rappeler les conseils que son grand-père lui   essayer

   . . . .   donner

e. Tant qu'ils . . . .   ne pas se laver
                                                                                                         les dents/ne
   ils . . . . d'aller dormir.   pas avoir le
                                                                                                         droit

f. Elle .... la bague que je lui perdre

.... pour son anniversaire. offrir

g. Ils .... le projet dont ils .... adopter/parler

.... la veille.

h. Nous .... le vin que nous .... boire/rapporter

.... de Grèce l'année dernière.

III. Le passé surcomposé

180 *Observez...*

Quand il **a eu fini** son discours, les gens l'ont applaudi.
        ÉVÉNEMENT 1   ÉVÉNEMENT 2

        dans le passé

▶ Le passé surcomposé (passé composé de **être ou avoir** + participe passé) sert à marquer l'antériorité d'un événement. Il s'emploie en rapport avec le passé composé après **quand, lorsque, dès que, après que, une fois que, à partir du moment où,** etc.

... et complétez avec les éléments proposés au temps qui convient :

a. Je me suis aperçu de mon erreur .... dès que
ma copie. Il était trop tard. rendre

b. Quelle ingratitude ! .... une fois
ce qu'elle désirait, elle n'est plus jamais venue me voir, pas même obtenir
une petite lettre !

c. Le bébé a pleuré pendant une bonne heure mais après que
.... son biberon, boire
il s'est endormi.

d. Tout allait bien entre eux. Les problèmes ont commencé
.... leur petite ville de
province pour Paris.

aussitôt que
quitter

e. ...., on t'a demandé au téléphone.

quand
sortir

181 *À vous! Organisez les éléments proposés pour marquer l'antériorité avec le passé surcomposé.*

a. quand / faire ses comptes / comprendre son erreur

b. dès que / dîner / aller dormir

c. une fois que / passer la frontière / changer de l'argent

d. aussitôt que / prendre le dessert / s'installer devant la télévision

e. quand éteindre les lumières / fermer la boutique

f. lorsque / allumer la lumière / cesser d'avoir peur

IV. Le passé antérieur

182 *Observez...*

Une fois **qu'ils eurent découvert** le trésor, ils l'enveloppèrent dans une toile.

AVANT   APRÈS

dans le passé

▶ Le passé antérieur (**passé simple** + participe passé) sert à exprimer l'antériorité. Il s'emploie par rapport au passé simple après **quand, lorsque, dès que, une fois que, aussitôt que, après que,** etc.

Comme le passé simple il est utilisé à l'écrit, dans le style littéraire ou soigné.

... et complétez avec les éléments proposés comme dans l'exemple (a) :

a. Quand ils furent arrivés au sommet de la montagne ils s'arrêtèrent pour contempler la vallée.

> quand
> s'arrêter

b. .... leur grand-mère ...., les enfants se mirent à pleurer.

> après que
> partir

c. .... la porte, il regretta de s'être mis en colère.

> dès que
> claquer

d. Il cessa de la voir .... son jeu

> une fois que
> comprendre

e. .... Juliette .... qu'il mentait, elle adopta une autre attitude.

> aussitôt que
> s'apercevoir

f. .... il sortit comme d'habitude pour faire une longue promenade dans la forêt.

> lorsque
> déjeuner

g. .... arriver elle se précipita pour nous saluer.

> aussitôt que
> entendre

h. Il lui envoya des lettres tous les jours .... un rendez-vous de la jeune fille.

> tant que
> ne pas obtenir

i. Il commença à aller mieux .... de fumer.

> dès que
> arrêter

j. .... Pierre .... elle retrouva sa gaieté.

> aussitôt que
> revenir

---

183 *À vous ! Organisez les éléments proposés pour marquer l'antériorité avec le passé antérieur.*

a. une fois que / adresser la parole / se mettre à rougir

b. tant que / réussir / manquer de confiance en soi

c. dès que / évoquer ce souvenir / son visage s'illuminer

d. après que / dîner / être conviés à écouter de la musique classique

e. dès que / apprendre la nouvelle / nous regarder avec colère

f. aussitôt que / enlever son chapeau / baiser la main

g. quand / conclure le marché / boire une coupe de champagne

V. Le futur antérieur

184 *Observez...*

> Je vous rejoindrai quand **j'aurai fini**.
>
> APRÈS   AVANT
>
> dans le passé
>
> ▶ Le futur antérieur (**avoir** ou **être** au futur + participe passé) exprime l'antériorité dans le futur.
> Il s'utilise après **quand, lorsque, dès que, une fois que, aussitôt que, tant que, à partir du moment où,** etc.

... et complétez avec les éléments proposés pour marquer l'antériorité comme dans l'exemple (a) :

a. Je te répondrai quand tu auras fini de pleurer. Pas avant!   quand/finir de pleurer

b. Je vous enverrai votre contrat ....   dès que/ rédiger

c. .... sur la place vous prendrez la première rue à gauche.   une fois que/ arriver

d. .... une photo je vous préparerai votre passeport.   aussitôt que / envoyer

e. Je ne pourrai pas vous excuser officiellement .... un certificat médical.   tant que/ ne pas apporter

f. .... leur réponse nous pourrons prendre une décision.   à partir du moment où / faire savoir

g. Je lui permettrai de sortir jouer avec ses camarades ....   après que / ranger ses affaires

h. .... tu m'appelleras.   lorsque décider

185 *À vous! Organiser les éléments proposés pour marquer l'antériorité avec le futur antérieur:*

a. quand / retrouver sa famille et son pays / partir ensemble en vacances

b. dès que / publier ce roman / écrire pour le théâtre

c. tant que / présenter ses excuses / ne pas le revoir

d. après que / être élu / sa politique être critiquée

e. aussitôt que / le retrouver / vous contacter pour passer au Commissariat de police

f. une fois que / signer la vente / être trop tard

VI. Le conditionnel passé

186 *Observez...*

> Nous avions décidé que quand il **aurait fini**, il nous **rejoindrait**.
>
> AVANT   APRÈS

▶ Le conditionnel passé (conditionnel de **être** ou **avoir** + participe passé) sert à exprimer l'**antériorité** par rapport au conditionnel présent.

Il s'utilise après **quand, lorsque, dès que, une fois que, aussitôt que, tant que, à partir du moment où**, etc.

... et complétez avec les éléments proposés au temps qui convient:

a. Elle avait dit qu'elle viendrait nous voir .... elle .... de Chine.
quand / revenir

b. Nous pensions que .... la guerre .... nous rentrerions dans notre pays.
dès que / finir

c. J'avais cru que je trouverais du travail facilement ....
une fois que / obtenir un diplôme

d. Elle assurait que ....

.... la vérité elle chercherait à le faire.

tant que / ne pas découvrir

e. Elle s'imaginait que ....

.... un peu d'argent elle mènerait une vie de château.

lorsque / gagner

f. Il nous avait promis que ....

...................., il nous enverrait une lettre pour nous dire

ce qu'ils avaient décidé.

dès que / les rencontrer

187 *À vous! Organisez les éléments proposés pour marquer l'antériorité avec le conditionnel passé comme dans l'exercice précédent:*

a. une fois que / traverser le tunnel / apercevoir un paysage grandiose

b. quand / passer un an aux États-Unis / maîtriser la langue parfaitement

c. lorsque / grandir / être beau

d. dès que / prendre sa retraite / se mettre à écrire des romans

e. tant que / apprendre à faire la cuisine / ne pas pouvoir trouver de mari

f. aussitôt que / commencer le traitement / ne plus avoir mal

VII. Le subjonctif passé

188 *Observez...*

Je suis content qu'il m'**ait écrit**

APRÈS   AVANT

▶ Le subjonctif passé (subjonctif de **être** ou **avoir** + participe passé) sert à exprimer l'**antériorité** par rapport à l'autre action.

... et complétez avec les éléments proposés au temps qui convient:

a. Je ne pense pas qu'il .... faire cette

dissertation sans aide.

pouvoir

b. Elle est fâchée que je .... à son dîner   ne pas aller

d'anniversaire mardi dernier.

c. J'attends toujours la réponse de Martine; je suis surprise qu'elle   ne pas répondre

.... encore ....

d. Il est regrettable que vous .... plus tôt.   ne pas prévenir

e. C'est bizarre qu'elle ....   ne pas se présenter

à l'examen; elle est peut-être malade.

f. Le téléphone ne répond pas, il est possible qu'ils   partir

.... en vacances.

g. Vous pouvez emprunter tous ces livres à condition que vous les   rapporter

.... avant le 15.

h. Il est inadmissible qu'ils .... cette décision   prendre

sans nous avoir demandé notre avis.

i. Quoi qu'il ...., nous savons qu'il a menti.   dire

I. L'interrogation indirecte

A. Construction simple

189 *Lisez, observez...*

a. Vous viendrez?
   Est-ce que vous viendrez?   ⟶   **Dites**-moi avant demain **si**
   Viendrez-vous?   vous viendrez.

b. Tu veux quoi exactement?
   Qu'est-ce que tu veux exactement?   ⟶   Je **me demande ce que** tu
   Que veux-tu exactement?   veux exactement.

c. Mais qu'est-ce qui est arrivé?   ⟶   Elle voudrait **savoir ce qui**
   Mais qu'est-il arrivé?   est arrivé.

d. Qui est-ce qui a fini?   ⟶   Il **demande qui** a fini.
   Qui a fini?

e. Tu vas où?
   Où est-ce que tu vas?   ⟶   Elle veut **savoir où** il va.
   Où vas-tu?

f. Vous partez quand?
   Quand est-ce que vous partez?   ⟶   Il aimerait **savoir quand**
   Quand partez-vous?   vous partez.

g. Vous faites comment?
   Comment est-ce que vous faites?   ⟶   Je cherche à **comprendre**
   Comment faites-vous?   **comment** vous faites.

h. Je vous dois combien?
   Combien est-ce que je vous dois?   ⟶   Je ne **sais** pas **combien** je
   Combien vous dois-je?   vous dois.

i. Tu as choisi quel modèle?
   Quel modèle est-ce que tu as choisi?   ⟶   **Montre**-moi **quel** modèle
   Quel modèle as-tu choisi?   tu as choisi.

j. Tu prends laquelle?
   Laquelle est-ce que tu prends?   ⟶   Fais-moi **voir laquelle** tu
   Laquelle prends-tu?   prends.

... et indiquez les correspondances comme dans l'exemple (a) :

Interrogation directe	Interrogation indirecte
a. Est-ce que	si
b.	....
c.	....
d.	....
e.	....
f.	....
g.	....
h.	....
i.	....
j.	....

... puis relevez les verbes qui introduisent l'interrogation indirecte :

dire, ...

....

190 *Complétez avec les éléments de l'interrogation qui manquent comme dans l'exemple (a) :*

a. Pouvez-vous me **dire quand** vous aurez fini les travaux.

b. Je n'arrive pas à **lire** .... est écrit en petits caractères.

c. Elle refuse de **comprendre** .... nous agissons ainsi.

d. Venez **voir** .... nous avons aménagé l'appartement.

e. Je ne lui ai pas **demandé** .... elle voulait pour son anniversaire.

f. Ils devaient pourtant nous laisser un message pour nous **dire** .... ils allaient.

g. Elle ne **voit** pas .... différence il y a entre les deux.

h. Je me **demande** bien .... a pu le leur répéter.

i. Ne cherchez surtout pas à **comprendre** .... j'ai fait.

j. Il veut **savoir** .... nous achetons, la verte ou la rouge.

k. Inutile de chercher à **savoir** . . . . je gagne, vous ne le saurez pas.

l. Nous nous **demandons** . . . . est dans le bureau du directeur depuis plus d'une heure.

191 *Transformez comme dans l'exemple (a); utilisez des verbes introducteurs variés (cf. exercices 189 et 190) au présent, futur ou conditionnel seulement :*

a. «Est-ce que l'examen était difficile?»
Le professeur demande si l'examen était difficile.

b. «Qu'est-ce qui s'est passé?»
Elle voudra savoir . . . .

c. «Qu'est-ce que le gouvernement va faire face à la crise?»
Elle aimerait savoir . . . .

d. «Quelle est l'adresse de Sophie?»
. . . .

e. «Quelles critiques ce film a-t-il reçues?»
. . . .

f. «Quand est-ce que les étudiants iront au théâtre?»
. . . .

g. «Lesquelles leur plaisent?»
. . . .

h. «Qui sera présent à la réunion?»
. . . .

i. «Combien de personnes participeront-elles au voyage?»
. . . .

j. «Les participants ont-ils tous reçu un dossier?»
. . . .

k. «Qu'est-ce qui se serait passé en cas de refus?»
. . . .

l. «Que ferait l'administration s'il y avait une grève?»
. . . .

B. Construction avec préposition

192 *Lisez, observez...*

a. Il sort avec qui?
   Avec qui est-ce qu'il sort? ⟶ Je ne **sais** pas avec qui il sort.
   Avec qui sort-il?

* Même transformation avec: de qui, pour qui, à qui, contre qui...

b. De quoi tu parles?
   De quoi est-ce que tu parles? ⟶ **Dis**-moi de quoi tu parles.
   De quoi parles-tu?

* Même transformation avec: à quoi, pour quoi, avec quoi, contre quoi...

c. Vous êtes abonnés à quelle revue?
   À quelle revue est-ce que vous êtes abonnés? Il **demande** à quelle revue
   À quelle revue êtes-vous abonnés? ⟶ nous sommes abonnés.

* Même transformation avec: de quel, pour quel, avec quel, contre quel [quel(s) ou quelle(s)].

d. Il y a beaucoup de restaurants dans cette rue.
   Vous parlez duquel?
   Duquel est-ce que vous parlez? ⟶ **Expliquez**-moi duquel vous
   Duquel parlez-vous? parlez.

* Même transformation avec: desquels, de laquelle, desquelles.

e. Les Truchaut ont plusieurs filles.
   À laquelle est-ce que vous pensez? ⟶ Je ne **vois** pas à laquelle vous
   À laquelle pensez-vous? pensez.

* Même transformation avec: auquel, auxquels, auxquelles.

f. Il y a trois cafés dans la rue.
   Dans lequel vous vous réunissez?
   Dans lequel est-ce que vous vous réunissez? **Dis**-moi dans lequel vous
   Dans lequel vous réunissez-vous? ⟶ vous réunissez.

* Même transformation avec les autres prépositions: pour laquelle, contre lequel...

... et transformez comme dans l'exemple (a) en variant les verbes introducteurs au présent, futur ou conditionnel seulement:

a. «Pour quelle raison la direction n'a pas prévenu le personnel?» On vous demandera certainement pour quelle raison la direction n'a pas prévenu le personnel.

b. «À quoi est-ce que le président a fait allusion dans son introduction?»

On ne comprend pas ....

c. «Avec quelle épice est-ce que vous parfumez la sauce?»

Puis-je vous demander ....

d. «Il y a trois dossiers urgents sur le bureau, Monsieur. Duquel voulez-vous que je m'occupe en premier?»

Dites-moi ....

e. «Pour qui est-ce qu'il vote?»

....

f. «Cet auteur a écrit beaucoup de poèmes. À quel recueil est-ce que vous faites allusion?»

....

g. «Par quoi les jeunes en France sont-ils passionnés?»

....

h. «Contre quel projet gouvernemental les syndicalistes manifestent-ils?»

....

GRAMMAIRE

L'INTERROGATION INDIRECTE EST UNE MANIÈRE DE POSER DES QUESTIONS:

● Elle se construit avec un verbe introducteur.

EXEMPLES: dites-moi si...; je me demande ce que..., il ne comprend pas pourquoi...
(Voir liste des verbes introducteurs dans les exercices précédents.)

● Après le verbe introducteur, on trouve:
— **si** (qui correspond à **est-ce que** dans l'interrogation directe);
— **ce qui, ce que** (qui correspondent à **est-ce qui, est-ce que** dans l'interrogation directe);
— et tous les autres mots interrogatifs: **où, quand, combien, pourquoi, lequel, de quoi, avec qui**, etc.

● Quand le verbe introducteur est au passé, il y a concordance des temps comme dans le discours indirect.
(Voir chapitre II.)

II. Le discours indirect : verbe + *que*

A. Le verbe introducteur n'est pas au passé

193 *Lisez, observez le passage du discours direct au discours indirect...*

RÉUNION AVANT UN VOYAGE

a. « Le voyage en avion est beaucoup trop cher. »
Il **trouve que** le voyage en avion est beaucoup trop cher.

b. « Il vaudrait mieux que les étudiants prennent le train. »
Elle **propose que** les étudiants prennent le train.

c. « Dix personnes seulement se sont inscrites ! »
Le trésorier **regrette que** dix personnes seulement se soient inscrites.

d. « On a prévu trop de sorties culturelles, les étudiants seront fatigués. »
Le coordinateur culturel **fait remarquer que** trop de sorties ont été organisées et **que** les étudiants seront fatigués.

e. « Si on écourtait le séjour, le prix serait moins élevé. »
Lionel **explique que** si le séjour était plus court, le prix serait moins élevé.

... puis relevez les verbes qui introduisent l'information (suivis de que + *indicatif et de* que + *subjonctif :*

---

1 *Que* + indicatif / *que* + subjonctif *

194 *Passez du discours direct au discours indirect comme dans l'exemple (a), en choisissant le verbe qui convient le mieux :*

---

annoncer — expliquer — déplorer — se réjouir — suggérer — promettre — trouver

a. « Il y aura une bonne surprise ! (Maman)
Maman promet qu'il y aura une bonne surprise.

b. «Il pleuvra sur toute la France jusqu'à la fin de la semaine.» (Le journaliste)

....

c. «Le programme n'est pas du tout satisfaisant.» (Les stagiaires)

....

d. «Le taux de chômage est en baisse c'est une très bonne chose!» (Le ministre)

....

e. «Dans ce cas, il n'y a pas d'accord du participe passé.» (Le professeur)

....

f. «L'année prochaine, le stage pourrait avoir lieu en juillet?» (Le directeur)

....

2 Transformation de l'impératif en construction infinitive*

195 *Passez du discours direct au discours indirect comme dans l'exemple (a):*

a. Tous les matins avant de partir elle me dit: «Fais attention en traversant le boulevard.»
Tous les matins avant de partir elle me dit de faire attention en traversant le boulevard.

b. Je lui répète toute la journée: «Arrête de te ronger les ongles.»

....

c. Le surveillant du lycée demande aux élèves: «Sortez sans faire de bruit.»

....

d. Il supplie sa sœur: «Ne me parle plus jamais de cette histoire.»

....

e. Le service du personnel me demande: «Veuillez renvoyer ce document signé le plus

tôt possible.»

....

....

f. Le gardien du parc demande aux enfants: «Ne jouez pas au ballon sur la pelouse.»

....

....

_____
* Voir aussi exercice 139 page 108.

196 *Récapitulation. Écrivez cette lettre au discours indirect en vous servant des règles de l'interrogation indirecte et du discours indirect et en choisissant les verbes introducteurs qui conviennent.*

Bien chers parents,

Comment allez-vous? Avez-vous bien reçu mon message? En ce qui me concerne je suis arrivée comme prévu après un voyage fatigant. J'ai perdu une de mes valises mais la compagnie aérienne m'a téléphoné pour me dire qu'elle avait été retrouvée. Philippe m'attendait à l'aéroport avec sa sœur.

Nous avons loué un petit appartement dans le centre de la ville où nous avons chacun notre chambre. La mienne donne sur un jardin. Je me suis occupé de mon inscription à l'université. Philippe m'a présenté ses amis. Êtes-vous allés à l'exposition de François? Je vous écrirai dès que mes cours auront commencé. Envoyez-moi l'adresse de Clémence!

Vous n'irez pas en Bretagne? Quel dommage!

Je vous embrasse. *Cyril*

Cyril commence sa lettre en demandant à ses parents ....

B. Le verbe introducteur est au passé

■ Il est suivi de l'indicatif

197 *Lisez, observez le changement de temps...*

a. «J'**habite** en province depuis dix ans.»

Il m'a dit (Il me disait — Il m'avait dit — Il me dit) qu'il **habitait** en province depuis dix ans.

b. «J'**ai quitté** Paris en 1971.»

Il m'a dit (Il me disait — Il m'avait dit — Il me dit) qu'il **avait quitté** Paris en 1971.

c. «Je ne **retournerai** pas à Paris.»

Il m'a dit (Il me disait — Il m'avait dit — Il me dit) qu'il ne **retournerait** pas à Paris.

d. «J'y **retournerais** si on me proposait un travail intéressant.»

Il m'a dit (Il me disait — Il m'avait dit — Il me dit) qu'il y **retournerait** si on lui proposait un travail intéressant..

... et indiquez le changement de temps :

Discours direct	Discours indirect
a. habite = *présent*	habitait = *imparfait*

198 *Passez du discours direct au discours indirect en faisant les changements de temps nécessaires comme dans l'exemple (a) :*

a. « Le match est reporté en raison du mauvais temps. » (la radio a annoncé)

La radio a annoncé que le match était reporté en raison du mauvais temps.

b. « Le magasin sera fermé tout le mois de juillet. » (le boulanger a affiché)

....

c. « Nous vivons dans une époque agitée. » (grand-père répétait)

....

d. « J'aimerais vous accompagner mais mon emploi du temps est très chargé. » (il nous expliqua)

....

e. « Je me suis perdu et j'ai été obligé de prendre un taxi. » (il nous a raconté)

....

f. « Nous nous sommes amusés comme des fous et nous avons pensé à toi. » (elle m'avait écrit)

....

2 Il exige le subjonctif

199 *Lisez, observez l'emploi des temps...*

a. Il n'**est** pas souhaitable que cette entreprise **soit** confiée à des experts financiers.

b. Lorsqu'en 1985, on m'a demandé d'accepter la présidence de l'entreprise, j'ai annoncé clairement en public qu'il n'**était** pas souhaitable qu'elle **fût** confiée à des experts financiers.

d'après un article du *Monde* (11 juin 1991).

... et notez la concordance :

- présent de l'indicatif ⟶ subjonctif présent
- imparfait de l'indicatif ⟶ subjonctif imparfait

▶ La concordance avec **l'imparfait du subjonctif** ne se fait qu'en **langue soignée.** En **langue courante** on utilise le **subjonctif présent** ou le **subjonctif passé** après un verbe introducteur au passé.

EXEMPLE : Elle **était** désolée que tu **sois** malade.
Il **regrettait** que tu ne sois pas venu.

... puis passez du discours direct au discours indirect en utilisant le subjonctif présent ou le subjonctif passé (langue courante) :

a. «Je regrette que les décisions aient été prises si rapidement.»
Il a dit publiquement qu'il regrettait que les décisions aient été prises si rapidement.

b. «Je suis content que tu viennes passer quelques jours près de moi.»
Il lui avait écrit ....
....

c. «Taisez-vous et prenez vos livres.»
Elle a ordonné qu'on ....
....

d. «Pierre pourrait partir en week-end avec nous?»
Elle a proposé que ....
....

e. «L'administration n'a pas encore trouvé de solution, c'est incroyable.»
Dans le courrier des lecteurs de la semaine d'avant, il s'est étonné ....
....

f. «Le poète est mort dans la misère, quel scandale!»
Dans ses mémoires il s'est indigné ....
....

g. «Soyez à l'heure, c'est important!»
Il nous a rappelé ....
....

3 Le changement des expressions de temps

200 *Lisez, observez les expressions de temps...*

> Dès son arrivée elle écrivit à sa mère qu'elle était bien arrivée et qu'elle allait bien. Elle lui raconta que **la veille** son oncle l'avait emmenée à la pêche mais qu'ils n'avaient attrapé aucun poisson. Pourtant son oncle avait fait une pêche extraordinaire **la semaine précédente**. Elle expliqua qu'ils retourneraient pêcher le **samedi suivant**. Elle ajouta que **jusque-là** elle avait beaucoup dormi pour se reposer. Elle lui annonça que sa cousine arriverait le **lendemain**...

... et notez les correspondances :

VERBE INTRODUCTEUR au présent, futur, conditionnel et passé composé	VERBE INTRODUCTEUR au passé composé, imparfait plus-que-parfait, passé simple
HIER { matin / après-midi / soir	LA VEILLE { au matin / dans l'après-midi / au soir
AVANT-HIER { matin / après-midi / soir	L'AVANT-VEILLE { au matin / dans l'après-midi / au soir
AUJOURD'HUI / CE MATIN / CE SOIR	CE JOUR-LÀ / CE MATIN-LÀ / CE SOIR-LÀ
MAINTENANT / EN CE MOMENT	À CE MOMENT-LÀ / ALORS
DEMAIN / APRÈS-DEMAIN	LE LENDEMAIN / LE SURLENDEMAIN
samedi DERNIER	le samedi { PRÉCÉDENT / D'AVANT
l'été PROCHAIN	l'été { SUIVANT / D'APRÈS
DANS deux jours	deux jours APRÈS
jusqu'ICI	jusque-LÀ
IL Y A deux jours	deux jours AUPARAVANT

201 *Passez du discours direct au discours indirect en changeant les expressions de temps comme dans l'exemple (a) :*

a. «Je promets que le chantier sera terminé la semaine prochaine.»

Dans sa lettre il promettait que le chantier serait terminé la semaine suivante (= la semaine d'après).

b. «Je téléphonerai de Londres demain.»

Il nous avait dit ....

c. «La crise économique doit s'améliorer dès le mois prochain.»

Souvenez-vous de la déclaration du ministre des Finances dans laquelle il déclarait

....

....

d. «Je reviendrai après-demain.»

Il lui promit ....

e. «Le week-end dernier nous sommes allés en Irlande.»

Dans son dernier courrier, il nous disait ....

....

f. «Il y a deux jours j'ai rencontré mon avocat.»

Il nous répondit ....

g. «Je serai de retour dans deux mois.»

Avant de partir il avait dit ....

202 *Passez du style indirect au style direct :*

a. Nous lui avions demandé s'il lui arrivait parfois de faire des arrangements pour rendre l'exécution de certains passages plus facile et il avait répondu qu'il ne l'avait jamais fait, qu'il ne le ferait jamais. Il avait ajouté que si un jour il ne pouvait plus jouer la Sonate de Waldstein de Beethoven, telle qu'elle était écrite, il ne la jouerait plus.

D'après un extrait du *Monde*, 11 juin 1991.

— « ....

....

....»

— « ....

....

....»

b. Le président du groupe industriel a affirmé qu'il avait peine à croire que des accords se feraient; il a estimé que si on faisait des accords avec ces pays-là, c'était l'emploi, le niveau de vie qui en souffriraient gravement.

D'après un extrait du Monde, *11 juin 1991.*

— « . . . .

. . . .

. . . . »

c. Il a estimé que l'on avait atteint en matière de racisme la limite et qu'il fallait tout tenter pour l'enrayer. Il a ajouté que ce serait extrêmement difficile dans le contexte de chômage qui désespérait les jeunes et le climat d'insécurité qui envahissait les esprits.

D'après un extrait du Monde, *11 juin 1991.*

— « . . . .

. . . .

. . . .

. . . . »

203 *Récapitulation. Faites un compte rendu de cette interview:*

— Votre dernier film est un énorme succès. Comment vivez-vous ce succès?

— Je le vis d'une manière assez étrange; je reçois des lettres extraordinaires tous les jours.

— Est-ce que vous aviez pensé que vous auriez du succès?

— Je suis content que le public réagisse très fort à mon film, puisque j'ai été moi-même le premier à réagir ainsi.

— Vous souvenez-vous du moment exact où vous avez décidé de vous lancer dans le film?

— Je m'en souviens très bien; juste après avoir lu la dernière page du livre, j'ai su que j'allais faire le film.

— Cela a-t-il été un plaisir de mettre en scène un film?

— Cela a été un plaisir immense, un moment que je n'oublierai jamais.

— Avez-vous des projets?

— La semaine prochaine, je dois commencer le tournage d'un autre film.

Le journaliste a fait remarquer au jeune réalisateur que... et il lui a demandé...

1 a) d'agréables vacances, de longues promenades, d'énormes vaches, de grosses bises, d'autres nouvelles, b) de bonnes notes, d'énormes difficultés, de mauvais résultats, de gros efforts.

2 a) je voudrais être pilote / j'aimerais devenir pâtissier; b) vous êtes peintre... / je ne suis pas peintre, je suis sculpteur; c) elle est étudiante / il est étudiant... / ils sont étudiants...

3 a) c'est un médecin...; b) c'est une étudiante...; c) c'est un poète...; d) c'est un metteur en scène...; e) c'est un architecte...

4 a) est plombier; b) c'est un diplomate; c) est députée / c'est une universitaire; d) il est pianiste; e) c'est un décorateur; f) c'est un peintre; g) chanteur / animateur de télé / c'est un...; h) c'est un acteur... / chauffeur de taxi.

5 a) est fort en maths / c'est un fort en maths; b) elle est passionnée d'équitation / c'est une passionnée d'équitation; c) il n'est pas méchant / ce n'est pas un méchant; d) il n'est pas idiot / ce n'est pas un idiot; e) c'est une belle brune aux yeux verts; f) c'est une grosse curieuse; g) c'est un sacré menteur; h) c'est un bel hypocrite.

6 est, ce sont des, est, est, suis, ils sont, il est, elle est, sont, ils sont, est, il est, ce sont des, ils sont, ils sont, ce sont des, ils sont, est, est, est.

8 fanatique de voile, folle de joie / écrasée de travail, morte de fatigue, remplie d'énergie / débordante d'enthousiasme.

11 a) te, les; b) s', les; c) se, la; d) se, le; e) me, le; f) te, le.

14 un pâté de canard; une confiture d'abricots.

15 son toit d'ardoise, ses corbeilles de fleurs, sa table de bois, les deux canapés de cuir, des rideaux de coton, un édredon de duvet; une forêt de cèdres, son toit de tôles grises, ses corbeilles de géraniums, sa table de marbre blanc, les deux canapés de tissu fleuri, des rideaux de velours sombre, un édredon de plumes légères.

16 a) pantalon de velours, chemise de coton jaune, un collier de perles, un chapeau de paille, un sac de cuir noir, des chaussures de toile claire; b) hôtel moderne de verre et d'acier, plage de sable fin, sols... colonnes de marbre, sculptures de bois, des bijoux de pierres fines, plantation de palmiers... d'eucalyptus.

17 a) cravate en (de) soie; b) assemblage de verres; c) collection de timbres; d) vêtements en (de) coton; e) pieds en (de) bois sculpté; abat-jour en (de) tissu; f) haie d'arbustes; g) cuillères en (de) bois; h) dent en (de) porcelaine - une dent en or.

20 a) le musée de l'Homme, l'Opéra de la Bastille, le quartier des Halles, la bibliothèque du Centre Georges Pompidou; b) des, l', des, de la, du; c) du risque... de l'effort, des affaires..., des responsabilités; d) de la liberté, de l'environnement, des richesses, de la misère, des inégalités.

21 a) des tableaux; b) le confort des clients; c) la tour du château; d) le salaire des enseignants; e) les papiers de la voiture; f) l'odeur de la campagne; g) le discours du Président; h) la secrétaire du directeur.

22 a) le coucher du soleil, des couchers de soleil; b) les organisateurs du spectacle, des organisateurs de spectacles; c) la scène du théâtre, une scène de théâtre; d) la fin du roman, une fin de roman; e) la porte de l'armoire, une porte d'armoire; f) la signature du contrat, une signature de contrat; g) la manifestation des étudiants, une manifestation d'étudiants.

23 a) des embouteillages; b) de la Tour Eiffel; c) de rédaction; d) du lac; e) de la rentrée scolaire; f) de page; g) de la discussion; h) d'année.

24 1° de, du, de, de, de, des, de l', du, du, de -2° a) d', d', d', du, des, du; b) de la, de, du; c) d', de l', de l'; d) de, du, de la, d'.

26 a) x; c) x; d) x; e) x; g) x; j) x.

28 a) de la salade; b) surtout pas du café, un jus d'orange; c) un gâteau, de la glace; d) pas un stylo, une montre; e) surtout pas un chat, un chien.

29 J'ai besoin de plusieurs dictionnaires - Ce ne sont pas des dictionnaires qu'il te faut, c'est une encyclopédie.

30 c) ce sont des adultes; d) c'est du travail peu sérieux; e) c'est une affaire difficile; f) tu manges salement.

32 a) cette visite; b) cette décision, cet argent; c) ce choix; d) cet emploi; e) cette explication; f) cet échec.

33 b) cette idée; c) ces diplômes; d) cette hausse; e) ce projet; f) cette situation; g) cette attitude; h) ce cas.

34 cette théorie: laissée à elle-même... un certain seuil; ces différences: les différences; ces différences: ces différences; cette lutte: les moyens employés pour le combattre; cette forme d'intolérance: il (le racisme) se retrouve aussi dans le domaine de la religion; ce même idéal: Voltaire a combattu... sage vieillard; cette incompréhension générale: il (le racisme) se manifeste... des générations; ce conflit des générations, cette méfiance: cette incompréhension générale des parents pour la jeunesse... de jeunes; cette opposition: ce conflit des générations... soixante-dix; cette même génération: la génération passée; ces quelques lignes: «au moment où je voulais... vais partir.»; ce fléau: le racisme

35 celles de: féminin, pluriel; celui de: masculin, singulier; ceux de: masculin, pluriel.

36 a) celles de; celui du; celle de; d) ceux des; e) celui de; f) celles des; g) celles d'.

37 b) celui-là (ci); c) celle-là (ci); d) ceux-là (ci); e) celles-là (ci); f) celle-là (ci).

38 b) celui-là; c) ceux-là; d) celle-là; e) celles-là; f) ceux-là.

39 a) celles qui, celles qui, celles qui, celles qui; b) ceux qui, ceux qui, ceux qui, ceux qui.

40 a) ceux qui; b) celui qui; c) ceux qui; d) ceux qui; e) ceux qui.

41 a) celui que; b) celles que; c) celle que; d) ceux que; e) celle que; f) ceux que.

43 a) ça; b) c'; c) ce; d) ça; e) c' / ça; f) ce; g) ça; h) c'.

44 a) c'; b) cela; c) cela; d) c' / cela; e) cela; f) c'; g) c'; h) cela; i) ce.

45 b) de tels propos: des propos comme ceux-là; c) un tel succès: un succès comme celui-là; d) une telle attitude: une attitude comme celle-là; e) un tel échec: un échec comme celui-là; f) un tel froid: un froid comme celui-là.

46 a) une telle intrigue; b) un tel changement; c) de tels incidents; d) un tel chiffre; e) un tel enthousiasme; f) une telle affaire.

47 b) ... beaucoup de neige, ce qui a été une catastrophe pour les stations de ski; c) ... nombre de postes, ce qui a provoqué des réactions de la part des syndicats; d) ... d'une piscine, ce que les habitants attendaient depuis des années; e) ... de la littérature, ce qui ne nous permet cependant pas d'écrire des romans; f) ... un univers véritable, un «miroir» de la société, ce que Zola a voulu reproduire dans ses œuvres; g) ... en Asie, ce qui lui a permis de découvrir une autre culture.

48 b) l'a remarqué - remarquer quelque chose - les progrès... religion; c) le remplacer - remplacer quelque chose - un modèle / y ont-ils pensé - penser à - Il ne suffit pas... remplacer / en sont-ils conscients - être conscient de - Il ne suffit pas... remplacer; d) ils y pensent - penser à - de grandes peurs, le feront-ils - faire quelque chose - exploiter...

49 a) en; b) y; c) l'; d) en; e) en; f) l' / y.

50 a) le sait; b) s'y opposent; c) s'y prépare / en sont la preuve; d) en sont-ils.

52 b) s'occuper de problèmes, d'une affaire, etc.; c) les aspects des problèmes, d'une affaire, etc.; d) attacher de l'importance à des problèmes, une affaire, etc.; f) faire trop de publicité autour de problèmes, d'une affaire, etc.

53 c) dont, être sûr d'informations (verbe + de); d) à laquelle, assister à une conférence (verbe + à); e) dont, se servir d'un ordinateur (verbe + de); f) auxquelles, auxquelles, répondre à des lettres (verbe + à); g) dont, le système verbal d'une langue (nom$_1$ + de + nom$_2$); h) auxquels, penser à des détails (verbe + à); i) à laquelle, organiser un camp grâce à une aide (grâce à); j) dont, se réjouir d'une décision (verbe + de).

54 a) sur lesquels nous nous penchons; b) parmi lesquelles il y a un Picasso, un Renoir et une superbe sculpture de Giacometti; c) contre lequel la majorité des députés voteront; d) pendant laquelle il pleut environ tous les jours, puis c'est la saison sèche; e) suivant lequel l'élection doit avoir lieu tous les deux ans; f) pour lesquelles il faut se battre; g) selon lesquelles l'épidémie de choléra se développe; h) d'après lequel la situation économique s'est beaucoup améliorée; i) parmi lesquels il y en aura bien quelques-uns qui comprennent le français.

55 a) à laquelle...; b) dont; c) pour laquelle...; d) sur lequel...; e) dont...; f) à laquelle...; g) sur laquelle...; h) avec laquelle...

56 b) ... un grand immeuble à côté duquel notre maison...; c) ... des dates d'inscription en dehors desquelles il n'est pas...; d) ... une affaire mineure autour de laquelle on a fait...; e) ... six semaines à l'issue desquelles elle sera...; f) ... une manifestation cinématographique à l'occasion de laquelle on remet...; g) ... des principes au nom desquels nous nous...; h) ... une déclaration à propos de laquelle nous allons...

59 b) ceux auxquels elle tient beaucoup; c) ceux sur qui on compte et ceux sur qui on ne compte pas toujours; d) celle dont je te parle souvent; e) celui avec lequel je travaille le plus; f) ceux à qui j'avais écrit.

60 a) ceux, ceux, ceux; b) celle, celle.

61 b) Ce à quoi il a répondu négativement; c) Ce dont ils sont capables; d) Ce à quoi il faut réfléchir d'urgence; e) Ce dont il se moque éperdument; f) Ce dont il faut se féliciter; g) ce contre quoi il faut se battre tous les jours; h) Ce sur quoi...; i) Ce dont on peut rêver; j) Ce à quoi...

63 b) c'est contre ce projet que nous luttons; c) c'est grâce à ce film qu'Alain Delon est devenu célèbre; d) c'est de ce jeune romancier que nous parlerons...; e) c'est à ce professeur que je dois tout; f) c'est à l'issue de cette séance que nous avons signé...

64 a) c'est avec eux que je passe toujours mes vacances; b) c'est une personne avec qui on ne peut pas discuter; c) c'est grâce à lui que j'ai passé mon bac; d) c'est de vous qu'il s'agit non?; e) c'est l'organisme avec lequel nous avons l'habitude de travailler; f) c'est sur elle que tout repose.

66 1. verbe au présent → être au présent + verbe au participe passé; le complément d'objet direct → sujet; le sujet → par + complément.
2. passé composé; sont élus: présent; ont été élus: passé composé; seront élus: futur.
3. être est conjugué au temps qui convient et il est suivi du verbe au participe passé. Quand il y a un complément, il est introduit par «par».
Il y a toujours accord du participe passé.

67 c) a décoré (passé composé) → être (passé composé) + décoré. Dix anciens combattants ont été décorés par le Président; d) remplacera (futur) → être (futur) + remplacé. A partir de lundi Louis Gallet sera remplacé par Marc Legrand; e) avait reçu (plus que parfait) → être (plus que parfait) + reçu. Les candidats avaient été reçus par le directeur; f) annoncerait (conditionnel) → être (conditionnel) + annoncé. La nouvelle serait annoncée ce soir à 20 heures par le gouvernement; g) appeler (infinitif) → être (infinitif) + appelé. Restez chez vous, vous pourriez être appelé(e) par l'agence dans la matinée; h) invitait (imparfait) → être (imparfait) + invité. À cette époque, nous étions très souvent invité(e)s par mon oncle.

68 a) a été inauguré par François Mitterrand le 14 juillet 1989; b) le Musée d'Orsay, musée d'art du XIXe siècle a été conçu en partie par l'architecture Gae Aulenti; c) Le Louvre a été aménagé dans les années 85-88 par l'architecte américain Pei Ieoh Ming; d) En 1978, le projet d'un musée des Sciences avait été lancé par Valéry Giscard d'Estaing; e) Les plans de l'Institut du monde arabe ont été dessinés par l'architecte parisien Jean Nouvel.

69 b) Est-ce qu'une solution a été trouvée? c) Une convocation leur sera envoyée un peu plus tard; d) la facture vient de nous être remboursée; e) Cette année-là, sur la chaîne 3 cette émission était donnée tous les lundis; f) La pénicilline a été découverte juste après la guerre; g) Elle doit être prévenue dès aujourd'hui; h) Deux conditions doivent être respectées: avoir moins de 25 ans, être célibataire.

70 b) Neuf Airbus ont été vendus aux U.S.A.; c) François Mitterrand a été élu à la présidence de la République française; d) La peine de mort a été abolie en France; e) Le président égyptien Anouar El Sadate a été assassiné; f) Le prix Goncourt a été attribué à Lucien Bodard pour son livre Anne-Marie.

72 a) impossible; b) impossible; c) À l'époque il était connu dans le monde entier; d) impossible; e) impossible; f) une lettre leur a été envoyée en urgence.

73 b) À l'heure actuelle ce phénomène se rencontre de plus en plus souvent; c) Cette situation se voit fréquemment; d) Ce vin blanc se sert avec les desserts seulement; e) Cette expression s'emploie de moins en moins; f) Ce produit s'utilisait il y a au moins vingt ans!; g) Ce plat doit se manger très chaud.

74 a) ... des voix de mécontentement venant du fond de la salle se sont fait entendre; b) ... la direction s'est vu reprocher d'avoir mal géré l'entreprise; c) Elle s'est laissé attaquer sur son projet... d) ... nous nous sommes entendu répondre qu'il n'était pas cohérent; e) Ces voyageurs se sont fait refouler à la frontière...

76 Elle se leva - se lever - elle s'est levée; elle acclama - acclamer - elle l'a acclamée; elle s'approcha - s'approcher - elle s'est approchée; elle commença - commencer - elle a commencé; elles s'envolèrent - s'envoler - elles se sont envolées; ils restèrent - rester - ils sont restés; ils laissèrent - laisser - ils ont laissé.

77 a) succéda, continua, passa, remporta, essaya, emporta, encouragea, attira, fonda, créa, imposa; b) attira, parlâmes, commençâmes, déclarèrent, s'opposèrent, insistai, parlai, cédèrent, me fâchai, menaçai, allai, se montra, encouragea, rentrai, embrassa, supplia, pleurâmes, demanda, protestai, nous quittâmes, m'enfermai.

79 il tint - tenir - il a tenu; elle naquit - naître - elle est née.

80 a) je revins - revenir - je suis revenu; j'aperçus - apercevoir - j'ai aperçu; j'entendis - entendre - j'ai entendu; Elle répondit - répondre - elle a répondu; il répliqua - répliquer - il a répliqué; je poursuivis - poursuivre - j'ai poursuivi; il répliqua - répliquer - il a répliqué; il dit - dire - il a dit; je fis - faire - j'ai fait; il dit - dire - il a dit; j'abaissai - abaisser - j'ai abaissé; je fis - faire - j'ai fait; b) il écrivit - écrire - il a écrit; ils jouèrent - jouer - ils ont joué; ils devinrent - devenir - ils sont devenus; c) elle aima - aimer - ils ont aimé; elle fut - être - elle a été; elle suscita - susciter - elle a suscité; elle mourut - mourir - elle est morte; elle eut - avoir - elle a eu; on fit - faire - on n'a fait; elle devint - devenir - elle est devenue.

81 ai tourné, ai appelé, a dit; fis, rappelai, monta.

82 a) les passés composés correspondent au dialogue alors que les passés simples correspondent au narrateur: le narrateur se distancie des personnages du dialogue et porte un commentaire sur les actions.
b) Le passé simple marque le début d'une énonciation de type historique avec distanciation; le passé composé, l'événement.
c) Le passé simple correspond au récit, le passé composé à une rupture.

83 b) sortir - nous sortons - sortant; se diriger - nous nous dirigeons - se dirigeant; commencer - nous commençons - commençant.

84 b) écrivons - écrivant; c) lisons, lisant; d) dormons, dormant; e) allons, allant; f) choisissons, choisissant; g) jetons, jetant; h) noyons - se noyant; i) peignons - peignant; j) faisons - faisant; k) répondons - répondant; l) ne buvons pas, ne buvant pas.

85 a) C'est un monument parisien qui a 1 700 marches - la Tour Eiffel; b) Tableau qui représente un paysage tropical; c) Comment s'appelle un homme qui sait parler plusieurs langues? un polyglotte; d) Comment appelle-t-on une personne qui sait lire l'avenir dans les cartes? Une cartomancienne; e) Toute personne qui l'a aperçu (l'aurait aperçu) peut me joindre au 72.34.89.

86 a) À votre droite vous pouvez voir un tableau représentant un coucher de soleil; b) Voici les documents concernant votre inscription à l'université; c) Comment appelle-t-on cet animal ressemblant à un oiseau et à une souris? C'est une chauve-souris; d) Citez des exemples illustrant votre point de vue; e) Nous cherchons une étudiante pouvant garder un enfant le mercredi; f) C'est un poème dépeignant la solitude.

88 a) La veille, les voisins avaient entendu l'ivrogne en train d'insulter (au moment où il insultait) sa femme; b) On a arrêté deux employés au moment où (en train d'emporter) ils emportaient de la marchandise; c) Voici une photo du président en train de jouer avec des amis; d) Les gardiens de la prison l'ont vu au moment où il tentait de s'échapper par le toit du bâtiment principal; e) Je le rencontrais souvent lorsqu'il (quand il) faisait sa promenade le long de la rivière; f) Dans ce tableau il a peint les paysans lorsqu'ils (quand) rentrent des champs après une dure journée de travail.

89 a) Nous avons rencontré Jeanne sortant de l'école; b) C'est une photo de Sylvie soufflant les bougies de son premier gâteau d'anniversaire; c) ... et elle les surprit peignant en rouge et jaune les murs de la pièce; d) ... j'ai pris une photo d'un saltimbanque crachant du feu; e) Je garderai longtemps le souvenir de mon grand-père jouant du piano le soir après le dîner.

91 a) Comme l'orage se mettait à gronder, ils coururent jusqu'à la voiture; b) Les salles de classe étant occupées durant la période des examens, une salle...; c) Comme Noël approchait, les enfants...; d) Le photographe venant à l'école ce matin, elle a mis...; e) Comme Madame Melrieux était absente le jeudi 6 avril...; f) Ayant reçu votre demande très tard, il est...

92 a) Comme la cigale avait chanté tout l'été, elle se trouva fort dépourvue...; b) N'ayant pas compris la leçon elle demanda au professeur...; c) Comme ma fille n'avait pas su que le cours de mathématiques était reporté au samedi matin, elle...; d) Ne connaissant pas bien cette région elle avait demandé...; e) Comme je suis né le 3 janvier 1960, je ne peux...

93 a) en + participe présent; b) c'est le même que celui du premier verbe.

94 a) Téléphone-moi quand (dès que, lorsque, au moment où) tu arriveras à l'aéroport; b) N'oubliez pas de tourner à droite en arrivant au croisement; c) Voulez-vous refermer la porte au moment où (quand, lorsque) vous sortirez; d) Nous sommes passés chez Martine quand (lorsque) nous sommes allés au marché; e) Serrez le ventre en expirant et gonflez-le en inspirant.

95 b) Il a beaucoup minci en supprimant le pain et le sucre; c) Il s'est blessé au visage en se rasant; d) Il s'est cassé une jambe en faisant du ski hors piste; e) Il a eu un accident en voulant éviter une vieille dame qui traversait la rue.

96 a) Tu pourras me joindre au bureau si tu m'appelles avant midi; b) En mettant tes lunettes pour lire, tu aurais moins mal à la tête; c) Si tu te levais un peu plus tôt le matin, tu aurais le temps de déjeuner; d) En prenant le métro, vous n'arriveriez pas tous les jours en retard; e) En lui écrivant aujourd'hui, tu recevras une réponse avant la fin de la semaine.

97 a) Bien que nous fassions très attention, nous n'arrivons pas à mettre de l'argent de côté; b) Je peux profiter de la vie culturelle à Paris tout en habitant en banlieue; c) Il se révolte contre l'autorité de ses parents tout en admettant qu'ils ont raison; d) Elle continue de grossir bien qu'elle mange très peu (même si elle mange...); e) Elle élève quatre enfants et elle travaille cinq heures par jour quand même (bien qu'elle travaille..., même si elle travaille...).

98 b) Je descendis dans le jardin, l'appelant de toutes mes forces; c) L'ouragan s'engouffrait dans le petit vallon d'Yport, sifflait et gémissait, arrachant les ardoises des toits, brisant les auvents, abattant les cheminées, lançant dans les rues de telles poussées de vent...; d) Chaque coup de tonnerre me faisait sursauter, doublant les battements de mon cœur; e) La pluie a frappé toute la journée, abattant des arbres, détruisant la récolte, ravageant les champs de blé; f) Une jeune fille, un grand châle marron jeté sur les épaules, tournait le dos, jouant au piano une valse de Schubert.

99 Y entreposant... et cultivant... arrosant et enracinant.

101 Dans la deuxième phrase «espérant» et «remerciant» le «en» du gérondif est effacé → le style est plus soigné.

102 a) Vous remerciant par avance, je vous prie de croire, Monsieur, à l'assurance de mes sentiments distingués; b) Espérant bien vivement que votre réponse sera favorable, je vous prie d'agréer, Monsieur le Directeur, l'expression de ma considération distinguée; c) Attendant une réponse favorable de votre part, je vous prie de croire, Madame, à l'assurance de mes sentiments distingués.

104 viendrait, aurait, serait, aurait, serait, serait, décachèteraient, ouvriraient, allumeraient, sortiraient, retiendrait, se retrouveraient, prendraient, rentreraient, serait, serait, s'en occuperaient, vivraient, semblerait, serait, ouvriraient, écouteraient, travailleraient, dîneraient, sortiraient, retrouveraient, se promèneraient.

108 a) Dans la crise difficile qu'elle traverse elle échouerait sans l'aide de ses amis; b) Sans la subvention de la mairie de la ville nous n'aurions pas pu monter ce spectacle; c) Avec quelques efforts tout pouvait s'arranger; d) Avec un vent favorable on pourrait faire la traversée en 24 heures; e) ... notre proposition, sinon nous serions obligés de chercher un autre candidat; f) ... à la fin de la semaine, sinon on prendrait le train; g) En fixant l'âge de la retraite à cinquante-cinq ans, on créerait des emplois pour les jeunes et on réduirait le chômage; h) En partant très tôt le matin, vous éviterez les embouteillages; i) «Que feriez-vous au cas où on vous proposerait de partir à l'étranger pour trois ans?»; j) au cas où vous auriez besoin de me contracter, vous pourriez laisser un message chez mes parents.

109 b) avec un effort supplémentaire il obtiendrait son diplôme; c) sans l'aide de ses parents il ne pourrait pas louer d'appartement; d) la voiture doit être prête demain, sinon je serais obligé de prendre le train; e) sans exercices quotidiens j'aurais mal au dos; f) au cas où il n'y aurait plus de bus prenez un taxi.

111 b) d'après les premières informations on pense que des milliers d'hectares sont détruits mais ces chiffres ne sont pas encore absolument certains; c) le sondage permet de faire une évaluation mais avec une certaine prudence.

113 f) proposition; g) reproche; h) conseil; i) obligation; j) prévision; k) obligation; l) conseil; m) proposition; n) prévision; o) proposition; p) conseil; q) reproche (conseil).

115 b) tu le passerais en juillet; c) je recevrais une réponse début juillet; d) nous y emmènerait; e) il nous a promis qu'il rentrerait tôt.

117 il travaille (travailler), elle rencontre (rencontrer), elles marchent (marcher), elle soit (être), elle ait (avoir), je finisse (finir), je connaisse (connaître), nous soyons (être), nous oubliions (oublier).

118 a) arrive; b) parle; c) apportions; d) laisse; e) trouvions; f) essayiez; g) achète; h) calme, criiez; i) vérifiions; j) appréciiez.

119 b) mette; c) veniez; d) restiez; e) vendions; f) dorment; g) finisses; h) repeignions; i) connaissiez; j) conduises.

120 a) pleuve; b) sois; c) puissent; d) sachiez; e) fasse; f) soyez; g) aille; h) sache; i) faille; j) ne puisses pas; k) sache; l) vaille; m) ait; n) alliez; o) veuille; p) ayez; q) ne fasse pas.

verbes: exige que, souhaite que, voudrais bien que, aimerais bien que, rêve que, ne crois pas que, regrette que, étonnerait que, ne suis pas sûr que; tournures impersonnelles: il faudrait que, il suffit que, il sera nécessaire que, il est nécessaire que; mots de relation: pour que, bien que, où que, sans que, à moins que; autres: l'essentiel, c'est que.

121 b) il faut que tu écrives à tes parents; c) il faut que tu ailles à la banque; d) il faut que vous disiez la vérité; e) il faut que vous soyez sages; f) il faut que tu fasses tes exercices.

122 b) ça, qu'ils viennent; c) c'est vrai ça, qu'il fasse son travail; d) c'est vrai ça, qu'il tienne ses promesses; e) c'est vrai ça qu'il y aille; f) c'est vrai ça, qu'ils le fassent eux-mêmes.

123 b) j'aimerais tant qu'ils viennent; c) j'aimerais tant qu'elle y aille; d) j'aimerais tant qu'il fasse beau; e) j'aimerais tant qu'ils soient là; f) j'aimerais tant qu'elles réussissent.

124 b) veux-tu que je dise; c) veux-tu que je prenne; d) veux-tu que je prépare; e) veux-tu que j'aille; f) veux-tu que je parte.

127 bien que... ait terminé, et que... ait trouvé - ils attendent que... se soit fait - avant que... soit marié - jusqu'à ce que... soit casé.

128 a) soyez venu(e)s; aies achevé; c) soient terminées; d) n'ait pas fait beau; e) ayez lu; f) soit sorti; g) soient rentrés; h) aies fini; aies répondu; j) ait fait; k) aient déjà commencé.

129 je suis content que, jusqu'à ce que, le médecin attend que, bien que, il faudra que, jusqu'à ce que, à moins que, à condition que, je n'accepte pas que, quoi que, je ne crois pas que.

132 b) confier, soit confié; c) se détourner, se détourne; d) goûter, je ne l'aie goûté, savoir, je ne sache, devoir, doive; e) avoir, ait; f) connaître, soit connu; g) venir, vienne.

133 a) si j'avais su, je leur aurais adressé une protestation; b) nous devrions rester tranquilles dans un coin comme si nous avions été des pièces de musée; c) il m'aurait été impossible de rester plus longtemps dans la chambre; d) elle cherche à justifier la disparition du bijou comme si elle en était responsable.

135 avec que + verbe au subjonctif les sujets ne sont pas les mêmes; quand le sujet des deux verbes est le même il n'y a pas de construction que + verbe au subjonctif mais un infinitif.

136 b) Il aimerait être invité; c) la responsable tient à être informée; d) elle préfère partir tout de suite; e) mes parents ne s'habituent pas à vivre seuls; f) personne n'avait envie de partir; g) il déteste prendre des photos; h) accepteriez-vous de travailler à mi-temps?

137 a) il a fait ça pour s'amuser; b) nous devons payer un impôt spécial afin de pouvoir conduire ce bateau; c) je suis d'accord à condition que vous me répondiez; d) il est parti sans dire au revoir; e) il m'a posé des questions jusqu'à ce que je lui dise la vérité; f) fais ça en attendant de partir; g) nous avons accepté de peur qu'il soit fâché.

139 Quand le verbe est suivi d'un complément d'objet on emploie la construction infinitive.
a) ... nous... de faire du parachute; b) ... vous... d'attendre son retour; c) ... leur... de sortir le soir; d) ... lui... de rentrer chez elle immédiatement; e) ... m'... de rester à l'hôpital jusqu'à mardi; f) ... l'... à faire une thèse.

141 a) qu'elle réagisse; b) s'en faire; c) que tu prennes; d) appeler; e) être; f) que tu ailles; g) qu'il soit; h) de changer; i) de présenter, de fournir.

143

réponds que ... n'y a rien	je	il
ajouterai que ... suis	j'	je
était persuadés que ... allait	on	l'usine
on bien dit que ... viendraient	ils	ils
a dit que ... viendrait	elle	elle
suis sûr que ... viendra	je	il

Le verbe 2 est à l'indicatif; les sujets des verbes 1 et 2 peuvent être les mêmes ou différents.

144 a) est, tient à, représente, a, doit, est; b) partira, avait, n'aura pas lieu, saura, êtes, sont, aura; c) étions allés, ne serait pas contente, irions, êtes allés, irions, seriez fâchée, était, irons.

145 1. lit que, souligne que, ajoute que, explique que, vérifier que, a signalé que, espère que, l'ennui, c'est que, sais que, trouve que, avez raconté que, ai pensé que, avais promis que, avions convenu que, étais sûre que, dire que, promettez que.
2. il apparaît que, il paraît que.
3. au fait que, sous prétexte que.

147 b) Je me souviens que j'ai beaucoup souffert; c) il reconnaît avoir tort; d) on pense toujours avoir le temps; e) il prétend être victime d'une erreur; f) il espère obtenir

un apprenti pour l'aider pendant les mois d'été; g) elle est certaine d'avoir oublié ses clefs chez moi; h) il croit nous l'avoir dit...; i) ... il a déclaré qu'il n'était pas au courant; j) le candidat à la présidence prévoit être élu au premier tour des élections.

reconnaît, pense, prétend, espère, est persuadé, croit, déclaré, prévoit.

149 je suis heureuse, tout va bien, il fait, il faut que, je passe / vous êtes sourde, vous n'y voyez pas clair, je porte des lunettes, il n'y en a pas (2) / je regarde, je passe, j'entends, je continue, je regarde, je vois, me fait, j'optempère, je me gare, il s'approche, je baisse, il me dit, je les lui donne, il prend, il me dit.

150 passé composé : trouve, grogne, ouvre, dit, marche, aperçoit, appelle, dit, réponds.
imparfait : s'impatiente, soulève, font, faut, vais.

151 - il préfère, il fonde, prend, donne, sont, devient, doit, meurt : à la place du passé composé pour rendre le texte plus vivant.
- a : à la place de l'imparfait (= situation).

152 a) bat, cède, épouse, abdique, se rend, exile, meurt. b) se fait, participent, édit; c) est né, commence, gagne, fait partie, joue, arrive, va, devient, est, gagne, prend, nomme, remporte.

153 des pays industrialisés s'ouvre à Versailles; manifestent dans Paris pour demander un changement de politique; nomme Laurent Fabius Premier ministre; Michael Eisner signent l'accord de construction d'un Disneyland...; Margaret Thatcher annoncent la construction du tunnel sous la Manche; remporte les élections législatives, nomme Jacques Chirac comme Premier ministre; réélisent François Mitterrand, nomme Michel Rocard comme Premier ministre; célèbre le bicentenaire de la Révolution française, inaugure l'Arche de la Défense; démissionne, nomme Édith Cresson, première femme à être Premier ministre en France.

155 a) viens de faire; b) vient d'annoncer; c) venait juste de partir; d) viens de dire; e) venait de commencer; f) vient juste de sortir.

156 b) arrive à l'instant = viens d'arriver; c) commence = vient de commencer; d) termine à l'instant = vient de terminer; e) raccroche = viens de raccrocher; f) sort = vient de sortir.

157 b) ... ils étaient en train de prendre leur petit déjeuner; c) ... les députés sont en train de discuter du budget...; d) je suis en train de me demander si on a...; e) ... tous les élèves seront en train de lire les sujets...; f) ... qu'il n'est pas en train de faire des bêtises; g) ... ils seront encore en train de dormir; h) ... que tu es en train de raconter; i) nous étions tranquillement en train de rouler sur l'autoroute...; j) ... qu'est-ce que tu es en train de faire?

158 présent : donne, pars, pense, fais, veux; futur : prendra.

159 a) fais, reste; b) entreprend; c) est, organise; d) vais; e) mettons; f) arrive.

162 a) ... je l'ai renvoyée...; b) ... je la chassai; c) rentra, découvrit; d) ont débarqué (débarquèrent), a commencé (commença).

164 a) comme s'il allait pleuvoir; b) comme si elle n'en avait pas; c) comme si rien ne s'était passé; d) comme si on ne lui donnait pas à manger; e) comme si nous ne savions rien; comme si tous les élèves l'écoutaient.

166 b) continuité : les relations sont difficiles au moment où on parle; c) rupture : action complètement passée; d) continuité : au moment où on parle il n'a pas fleuri; e) continuité : il n'est pas facile de travailler avec lui au moment où on parle; f) rupture : action complètement passée; g) rupture : action complètement passée; h) continuité : cette émission ne passionnent pas au moment où on parle.

167 b) continuité : cette région subit des inondations au moment où on parle; c) changement : maintenant elle veut bien vendre sa maison; d) changement : maintenant il fonctionne; e) continuité : je ne comprends pas son attitude envers moi au moment où je parle; f) changement : maintenant quelqu'un est arrivé à cet endroit du Pôle Nord; g) changement : maintenant elle est malade; h) changement : maintenant elle est sortie de son pays.

168 a) c'est (c'était); b) c'est; c) c'est; d) c'est (c'était); e) c'est (c'était); f) c'est (c'était); g) c'est (c'était); h) c'est.

169 a) ne fume plus; b) essaie; c) n'ai -as vu; d) n'a pas plu; e) ne peut plus; f) est; g) dors pas; h) faisons.

170 action vue dans sa continuité : travaille, est, sort, fait, est, sort; action vue comme exceptionnelle : a pas eu, s'est pas disputée, a pas refusé.

171 a) n'avions pas eu; b) travaillait; c) n'était pas; d) n'avais pas mangé; e) n'avait pas neigé; a) faisait ... essayait; b) avait ... attendait; c) avait ... n'avait pas pu; d) faisait ... n'avions pas eu; e) faisait ... était.

172 b) fera ... collaborons; c) fera ... n'ai pas bu; d) aura, dirige; e) fera ... ne m'occupe plus; f) aura ... n'a pas donné; g) fera ... vivons; h) fera ... habitons.

173 a) il y a (ça fait) cinq ou six ans qu'ils ont quitté... / Ils ont quitté... depuis cinq ou six ans; b) il y a (ça fait) deux minutes que papa est arrivé... / Papa est arrivé depuis deux minutes...; c) il y a (ça fait) deux mois que la centrale nucléaire a repris... / La centrale nucléaire a repris... depuis deux mois; d) il y a (ça fait) plus d'un an que j'ai changé d'adresse / J'ai changé d'adresse depuis plus d'un an; e) il y a (ça fait) une demi-heure à peu près qu'elle est sortie / il y a à peu près une demi-heure qu'elle est sortie; f) il y a (ça fait) une bonne heure qu'il est parti... / Il est parti depuis une bonne heure; g) il y a (ça fait) au moins dix minutes; h) il y a (ça fait) bien longtemps qu'il a renoncé à tout... / il a renoncé à tout... depuis bien longtemps.

175 b) t'avais prévenu; c) avait quitté; d) avais terminé; e) avaient divorcé; f) avais pris.

176 a) ⊠; b) ⊠; d) ⊠; f) ⊠; h) ⊠.

178 b) a fait, autorise; c) est sorti, commencent; d) a versé, se précipite; e) a bu, sort, va; f) a dessiné, ajoute; g) a noté, commence.

179 a) sont arrivés, avions commandés; b) a arraché, avait soignée; c) se dépêchait, avait confié; d) essaya, avait donnés; e) ne s'étaient pas lavé les dents, n'avaient pas le droit; f) a perdu, avais offerte; g) ont adopté, avaient parlé; h) avons bu, avions rapporté.

180 a) dès que j'ai eu rendu; b) une fois qu'elle a eu obtenu; c) après qu'il a eu bu; d) aussitôt qu'ils ont eu quitté; e) quand tu as été sorti.

182 b) après que... fut partie; c) dès qu'il eut claqué; d) une fois qu'il eut compris; e) Aussitôt que Juliette se fut aperçue; f) lorsqu'il eut déjeuné; g) aussitôt qu'elle nous eût entendu arriver; h) tant qu'il n'eut pas obtenu; i) dès qu'il eut arrêté; j) aussitôt que... fut revenu.

184 b) dès que la secrétaire l'aura rédigé; c) une fois que vous serez arrivés; d) aussitôt que vous aurez envoyé; e) tant que vous n'aurez pas apporté; f) à partir du moment où ils auront fait savoir; g) après qu'il aura rangé ses affaires; h) lorsque tu auras décidé.

186 a) quand ... serait revenue; b) dès que ... serait finie; c) une fois que j'aurais obtenu un diplôme; d) tant qu'elle n'aurait pas découvert; e) lorsqu'elle aurait gagné; f) dès que il les aurait rencontrés.

188 a) ait pu; b) ne sois pas allé(e); c) n'ait pas... répondu; d) n'ayez pas prévenu; e) ne se soit pas

présentée; f) soient partis; g) ayez rapportés; h) aient pris; i) ait dit.

189 b) qu'est-ce que ... ce que; c) qu'est-ce qui ... ce qui; d) qui est-ce qui ... qui; e) où est-ce que ... où; f) quand est-ce que ... quand; g) comment est-ce que ... comment; h) combien est-ce que ... combien; i) quel modèle est-ce que ... quel modèle; j) laquelle est-ce que ... laquelle.
demander, savoir, comprendre, montrer, voir.

190 b) ce qui; c) pourquoi; d) comment; e) ce qu'; f) où; g) quelle; h) qui; i) comment (ce que); j) laquelle; k) combien; l) qui.

191 b) ce qui s'est passé; c) ce que le gouvernement va faire...; d) Elle aimerait savoir quelle est l'adresse de Sophie; e) il demande quelles critiques ce film a reçues; f) Elle veut savoir quand les étudiants iront au théâtre; g) J'aimerais savoir lesquelles leur plaisent; h) Le secrétaire demande qui sera présent à la réunion; i) elle aimerait savoir combien de personnes; j) Elle veut savoir si les participants ont tous reçu un dossier; k) je me demande ce qui se serait passé...; l) on peut se demander ce que l'administration ferait...

192 b) à quoi le président a fait allusion...; c) avec quelle épice vous parfumez la sauce; d) duquel vous voulez que je m'occupe en premier; e) je me demande pour qui il vote; f) pouvez-vous préciser à quel recueil vous faites allusion; g) elle aimerait savoir par quoi les jeunes en France sont passionnés; h) je cherche à comprendre contre quel projet gouvernemental les syndicats manifestent.

193 trouver que: indicatif; proposer que: subjonctif; regretter que: subjonctif; faire remarquer que: indicatif; expliquer que: indicatif.

194 b) Le journaliste annonce qu'il pleuvra...; c) Les stagiaires déplorent que le programme ne soit pas...; d) Le ministre se réjouit que le taux de chômage soit en baisse; e) Le professeur explique que dans ce cas il n'y a pas...; f) Le directeur suggère que le stage ait lieu...

195 b) ... d'arrêter de se ronger les ongles; c) ... de sortir sans faire de bruit; d) ... de ne plus jamais lui parler de cette histoire; e) ... de renvoyer ce document signé le plus vite possible; f) ... de ne pas jouer au ballon sur la pelouse.

196 Comment ils vont, s'ils ont bien reçu son message. Il leur dit qu'en ce qui le concerne, il est bien arrivé comme prévu après un voyage fatigant. Il raconte qu'il a perdu une de ses valises mais que la compagnie aérienne lui a téléphoné pour lui dire qu'elle avait été retrouvée. Il explique que Philippe l'attendait à l'aéroport avec sa sœur. Il dit qu'ils ont loué un petit appartement dans le centre de la ville où ils ont chacun leur chambre. Il ajoute que la sienne donne sur un jardin. Il explique qu'il s'est occupé de son inscription à l'université, que Philippe lui a présenté ses amis. Il leur demande s'ils sont allés à l'exposition de François. Il promet qu'il écrira dès que ses cours auront commencé. Il demande qu'on lui envoie l'adresse de Clémence. Il regrette qu'ils n'aillent pas en Bretagne. Il termine sa lettre en leur disant qu'il les embrasse.

198 b) Le boulanger a affiché que le magasin serait fermé...; c) Grand-père répétait que nous vivions...; d) Il nous expliqua qu'il aimerait nous accompagner mais que son emploi du temps était très chargé; e) Il nous a raconté qu'il s'était perdu et qu'il avait été obligé de prendre un taxi; f) Elle m'avait écrit qu'ils s'étaient amusés comme des fous et qu'ils avaient pensé à moi.

199 b) qu'il était content qu'elle vienne passer... près de lui; c) qu'on se taise et prenne nos livres; d) Pierre parte en week-end avec eux; e) que l'administration n'ait pas encore trouvé de solution; f) que le poète soit mort dans la misère; g) qu'il était important que nous soyons à l'heure.

201 b) qu'il téléphonerait de Londres le lendemain; c) que la crise économique devait s'améliorer dès le mois suivant (= le mois d'après); d) qu'il reviendrait le surlendemain; e) que le week-end d'avant (= le week-end précédent) ils étaient allés en Irlande; f) que deux jours auparavant il avait rencontré son avocat; g) qu'il serait de retour deux mois après.

202 a) - «Est-ce qu'il vous arrive parfois de faire des arrangements pour rendre...?»
- «Je ne l'ai jamais fait, je ne le ferai jamais. Si un jour je ne peux plus jouer la Sonate de Waldstein de Beethoven, telle qu'elle a été écrite, je ne la jouerai plus.»
b) - «J'ai peine à croire que des accords se feront; si on fait des accords avec ces pays-là, c'est l'emploi, le niveau de vie qui en souffriront gravement.»
c) - «On a atteint en matière de racisme la limite. Il faut tout tenter pour l'enrayer. Ce sera extrêmement difficile dans le contexte de chômage qui désespère; les jeunes et le climat d'insécurité qui envahit les esprits.»

203 Le journaliste lui a fait remarquer que son dernier film était un énorme succès et lui a demandé comment il vivait ce succès. L'acteur lui a répondu qu'il le vivait d'une manière assez étrange, qu'il recevait des lettres extraordinaires tous les jours. Le journaliste lui a ensuite demandé s'il avait pensé qu'il aurait du succès. À cette question la vedette a répondu qu'il était content que le public réagisse très fort à son film puisque il avait été lui-même le premier à réagir ainsi. Le journaliste lui a demandé s'il se souvenait du moment exact où il avait décidé de se lancer dans le film; il a répondu qu'il s'en souvenait très bien, que juste après avoir lu la dernière page du livre il avait su qu'il allait faire le film. Le journaliste lui a demandé si cela avait été un plaisir de mettre en scène un film; il a répondu que cela avait été un plaisir immense, un moment qu'il n'oublierait jamais. Le journaliste lui a enfin demandé s'il avait des projets et il a répondu que la semaine suivante il devait commencer le tournage d'un autre film.

Photocomposition et Photogravure : GRAPHIC HAINAULT, 59690 Vieux-Condé, - Tél. 27.25.04.64
N° d'éditeur : 10016782 - II - (8) - (OSB - 80) — Juillet 1993
Imprimé et broché en France par Pollina, 85400 Luçon - n° 16347